La vie après Daesh

Du même auteur

L'islam des banlieues, Paris, Syros/La Découverte, 2001.
À la fois française et musulmane, Paris, Éditions La Martinière Jeunesse, 2002.
L'une voilée, l'autre pas, avec Saïda Kada, Paris, Albin Michel, 2003.
Être musulman aujourd'hui, Paris, Éditions La Martinière Jeunesse, 2003 (rééd. août 2007).
Monsieur islam n'existe pas. Pour une désislamisation des débats, Paris, Hachette Littérature, 2004.
Ça suffit !, Paris, Denoël, 2005.
Quelle éducation face au radicalisme religieux ?, Paris, Dunod, 2006 (prix de l'Académie des sciences morales et politiques).
L'intégrisme, l'islam et nous, on a tout faux, Paris, Plon, 2007.
Allah a-t-il sa place dans l'entreprise ?, avec Lylia Bouzar, Paris, Albin Michel, 2009.
Laïcité : mode d'emploi. Cadre légal et solutions pratiques : 42 études de cas, Paris, Éditions Eyrolles, 2010 (prix de l'Académie des sciences morales et politiques).
La République ou la burqa. Les services publics face à l'islam manipulé, avec Lylia Bouzar, Paris, Albin Michel, 2010.
Combattre le harcèlement au travail et décrypter les mécanismes de discrimination, avec Lylia Bouzar, Paris, Albin Michel, 2013.
Ils cherchent le paradis, ils ont trouvé l'enfer, Ivry-sur-Seine, Les Éditions de l'Atelier, 2014.
Désamorcer l'islam radical. Ces dérives sectaires qui défigurent l'islam, Ivry-sur-Seine, Les Éditions de l'Atelier, 2014.
Comment sortir de l'emprise « djihadiste » ?, Ivry-sur-Seine, Les Éditions de l'Atelier, 2015.

Contributions à des ouvrages collectifs

« Entre réappropriation et remise en question des normes », in *Le foulard islamique en questions*, Paris, Éditions Amsterdam, 2003.
« Du déni de l'islam à l'enfermement dans la facette musulmane », in Jean Baubérot, Dounia Bouzar et Jacqueline Costa-Lascoux, *Le voile, que cache-t-il ?*, Paris, Les Éditions de l'Atelier, 2004.
« L'islam relu par les femmes », in Nelly Las (sous la dir.), *Le féminisme face aux dilemmes juifs contemporains*, Paris, Les Éditions des Rosiers, 2013.
« Entre traditions maghrébines et religion musulmane, quels processus de libération des femmes dans le contexte français ? », avec Serge Hefez, in Sophie Bramly et Armelle Carminati-Rabasse (sous la dir.), *Pouvoir(e)s, les nouveaux équilibres hommes-femmes*, Paris, Éditions Eyrolles, 2013.
« Des cimetières et des cantines à Lyon. Une gestion laïque de la diversité par l'agrandissement de la norme générale », in Anne-Sophie Lamine (sous la dir.), *Quand le religieux fait conflit*, Rennes, Presses universitaires de Rennes, 2014.

Imprimé en France   *Printed in France*

ISBN : 978-2-7082-4324-8

Dounia Bouzar

La vie après Daesh

Les Editions Ouvrières
51-55, rue Hoche
94200 Ivry-sur-Seine

Je remercie notamment C., J., L.,
les deux C., D., M., J., R., S., I., B. et S.,
et tous les autres, qui se reconnaîtront...

Tout ce qui est raconté dans ce livre
est issu de la réalité.

Léa

Il était 6 heures. Léa s'en souvenait très bien : elle s'était retournée pour regarder son réveil. En rouge brillant, dans le noir, les trois chiffres s'affichaient.

À 6 heures pile, elle avait entendu un grand bruit d'explosion. En d'autres temps, cela l'aurait effrayée. Mais là, elle avait tout de suite compris. Elle était préparée. Ses nouveaux frères l'avaient prévenue : « Un jour, ils viendront t'arrêter. Ils n'aiment pas les esprits libres. Ça les rend fous. Ils sont jaloux. »

Léa se redresse dans son lit, la tête haute avec un sourire arrogant. Elle veut qu'ils sachent qu'elle les attendait, qu'elle n'a pas peur. Elle est plus forte. Dieu l'a élue. Tous ces koffars n'ont que le Sheitan [1] en eux, ils ne sont que des âmes faibles et perdues dans la pénombre. Ils subiront les pires supplices en enfer, alors qu'elle sera irradiée de la Lumière suprême, si blanche, si pure, si lumineuse qu'Elle aveuglera tous ces chiens.

Six hommes au visage dissimulé pénètrent dans sa chambre, l'arrachent de son lit et lui enfilent de force une

---

1. Le Diable.

cagoule sur la tête. Léa se retrouve dans le noir le plus total. Elle n'entend plus que les cris de ses parents au loin, mélangés à des sanglots. Pendant une seconde, les pleurs de son père l'attendrissent. Elle ne se souvient pas l'avoir déjà entendu pleurer au cours des seize années passées. Mais cela ne dure qu'une seconde. On l'a prévenue qu'Allah la testerait, elle doit Lui prouver qu'elle L'aime plus que ses propres parents, plus que sa propre vie. Elle ne doit pas se laisser affaiblir par le Sheitan qui est entré dans le corps de son père pour la faire dévier de sa voie, de sa foi. Dieu l'a choisie.

Ils la poussent dehors, la font monter dans un véhicule – sûrement un fourgon – et démarrent à vive allure. Elle ne sait pas où ils l'emmènent et pourtant Léa est calme, sereine, détachée. Elle plane à jeun. Elle les entend parler par monosyllabes. Peu lui importe. Une seule phrase tourne dans sa tête : « De toute façon, on te vengera. » Elle ne dira rien à ces koffars de merde qui veulent bouffer du musulman. Les frères ont raison : ils sont jaloux. La cagoule l'étouffe mais rien ne peut l'atteindre, elle est invincible. Ils peuvent la menacer tant qu'ils veulent : la prison, le foyer, le centre éducatif renforcé, etc. Elle sait que l'arrestation est une épreuve d'Allah pour fortifier sa foi. Un jour, elle rejoindra Daesh, elle le sait, elle le sent. Là-bas, ils l'aiment vraiment. Ils l'ont choisie.

Paul et Marie sont plantés au milieu du salon, les yeux dans le vide, hébétés. Une tornade vient de passer. Il n'a pas fallu plus de dix minutes pour que leur vie bascule. La porte de leur maison, défoncée par le bélier du GIGN, n'est plus qu'un amas de bois jonchant le sol de l'entrée. Leur fille vient de disparaître, emportée par un fourgon noir aux vitres teintées. C'est un cauchemar. Des gendarmes sont encore là. Ils fouillent partout, dans la chambre de Léa, dans celle de Franck, son petit frère, qui était venu cacher son visage entre les jambes de sa mère... Même le tiroir à sous-vêtements de Marie a été retourné par terre. Le contenu des boîtes de céréales jonche le sol de la cuisine. Les ordinateurs ont été emportés. L'appartement est un véritable capharnaüm. Puis les six hommes cagoulés repartent aussi vite qu'ils sont apparus. Les parents de Léa se retrouvent seuls au milieu de nulle part.

– On les suit, balbutie soudain Paul.

Comme des automates, ils montent dans leur voiture et prennent l'autoroute en direction de Paris. Ils ont juste eu le temps de laisser le petit à la voisine. Où est Léa ? Dans un avion ? Dans un train ? Toujours dans le fourgon de police ? Marie a pourtant posé la question... Que lui ont-ils répondu ? Impossible de s'en souvenir. Elle ne revoit que leurs yeux durs qui semblaient dire : aucun sentiment, aucune compassion, on fait notre travail. Des paroles lui reviennent :

– Rendez-vous au tribunal. Demandez le service antiterroriste. Dans 48 heures, minimum...

– Antiterroriste ?

Ce mot avait résonné dans sa tête, en écho.

– Pourquoi 48 heures ? avait-elle murmuré.

– Elle ne sortira pas avant. Le temps qu'on la mette à table... On parle de terrorisme, avait répondu un des cagoulés.

Paul avait réussi à obtenir plus d'informations :

– Léa est suspectée de préparer un attentat, Marie... Un attentat... Avec des armes...

C'est la seule phrase qu'il avait pu prononcer.

Marie tourne la tête vers son mari qui conduit. Il a les yeux rouges, injectés de sang. Elle souffre tant qu'elle a peur de s'effondrer avant d'arriver à Paris. Qui va défendre Léa ? Qui va s'occuper de Franck ? Il a à peine 8 ans... Et si Paul mourait avant qu'ils ne la revoient ? Deux crises cardiaques en trois ans, c'est mauvais signe. Elle comprend soudain l'expression « éperdue de chagrin ».

Des images de leur petite fille lui reviennent : il y a à peine quelques jours, elle dansait et goûtait même du champagne au camping où ils séjournaient. Comment imaginer qu'elle était encore en lien avec « eux » et préparait un attentat ? Pour le feu d'artifice du 14 juillet, elle avait mis sa belle robe blanche, avec son dos nu... Mère poule plutôt stricte, Marie s'était pourtant réjouie de voir sa fille plaisanter avec les garçons du camping. Même Paul avait fermé les yeux. Ils étaient soulagés : cette histoire de vidéos de Syrie trouvées sur l'ordinateur de Léa par les gendarmes relevait du passé, ils n'avaient plus rien à craindre... Et puis voilà, à peine rentrés, au petit matin, tout s'écroule d'un seul coup ! Léa aurait gardé des liens avec un terroriste qui prépare un attentat en France. Un attentat... L'homme était sur écoute 24 heures sur 24. Ils étaient remontés jusqu'à elle en quelques secondes.

– Le savait-elle ? murmure Marie.

C'est comme si Paul avait suivi ses pensées par télépathie. Il répond :

– Quand tu discutes avec un terroriste, tu vois bien que c'est un terroriste, il me semble.

Marie préfère rester dans le doute. C'est trop dur de penser que sa petite Léa savait qui était Abou Cobra. C'est ce nom que le flic a prononcé devant Paul.

Elle appelle leur avocat, qui parle vite :

– Arrivés à Paris, installez-vous. Nous n'aurons pas de nouvelles de Léa. Les services de police ne communiquent pas, ça fait partie de leur métier. Ils veulent remonter la filière. C'est Abou Cobra qui les intéresse, pas Léa. En plus, il semble qu'il soit en contact avec Touftouf le Ouf. Ils ne la chouchouteront pas mais ils ne la maltraiteront pas non plus. Tout dépend de la manière dont elle coopère. De toute façon, elle doit comprendre où elle a mis les pieds... Posez vos affaires et reposez-vous. Je vous appelle dès que le juge d'instruction donne son signal. Mais il ne récupérera pas Léa avant trois jours minimum.

Touftouf le Ouf ? Maître Verbot a prononcé ce nom avec le plus grand sérieux. Marie ne comprend pas grand-chose. Elle ne veut pas poser de questions supplémentaires car elle sait que chaque réponse de l'avocat augmentera son niveau d'angoisse. Pourtant, elle s'entend demander d'une petite voix :

– Et j'aurai le droit de l'accompagner dans le bureau du juge au moment de l'audience ?

– Non. Ça m'étonnerait. Votre fille n'est pas en contact avec un cambrioleur. C'est un terroriste, madame.

– Oui, Maître... Et ce juge peut décider quoi ?

– La mise en détention provisoire ou un centre éducatif fermé pour mineurs. Qu'est-ce que vous préférez ?

– Je ne sais pas, hésite Marie, qui ne voit pas la différence entre les deux.

Puis elle se reprend :

– Le centre éducatif fermé !

Il y a le mot « éducatif » dedans, ça la rassure.

Marie remercie et raccroche car sa main tremble. Paul n'a pas entendu les réponses de l'avocat et pourtant son regard s'est assombri.

Léa a été installée dans une salle d'interrogatoire. Des hommes l'entourent. Vont-ils jouer au gentil et au méchant comme dans les séries à la télévision ? Cela la ferait bien rire. Elle est tellement au-dessus d'eux. Ils pensent pouvoir l'impressionner, lui faire peur. Ils ne voient que son jeune âge et ne comprennent pas qu'elle n'est pas seule. Elle est entourée de ses frères et sœurs. Même à ce moment précis, dans cette salle, ils sont avec elle, en elle. Elle n'est jamais seule. Elle ressent la force que ses frères et sœurs lui envoient. Grâce à eux, elle ne flanchera pas. Ils l'ont prévenue, lui ont expliqué ce que vont lui faire subir ces créatures du diable : « Ils te mèneront dans un lieu que personne ne connaît. Tes parents ne sauront pas où tu es. Ils te mettront à poil. Ils te fouilleront, pour t'humilier. Tu serreras les dents et tu ne montreras rien. Parce que tu sais que c'est le Sheitan qui te teste. Tu marcheras dans le chemin d'Allah et tout ira bien. Tu ne diras pas un mot. Tu verras comme ils sont fragiles, en vérité. Face à ton silence, ils seront tout petits. Des minables. Des cafards. »

Léa redresse la tête, un petit sourire méprisant aux lèvres. Elle n'écoute pas ce qu'on lui dit. N'entend pas les questions qu'on lui pose. Ne voit pas les photos qu'on lui montre. Seule la voix de son frère résonne encore en elle : « Ils te montreront des photos. Tu nous reconnaîtras mais pour ne pas le montrer, tu fixeras le coin du papier. Ils ne remarqueront rien car Allah les aveuglera. » Encore une fois il avait raison. « Dis-leur qu'on ne va pas s'arrêter là. Qu'on est fiers de nos héros qui ont fait le sacrifice suprême et obtenu leur récompense et que ce sera bientôt notre tour, *inch Allah*[2]. Ils complotent mais ne savent pas qu'Allah est meilleur stratège. N'oublie pas qu'ils ont insulté nos moudjahiddins. Qu'ils ont souillé les âmes de nos martyrs. On s'est fait humilier par leurs lois qui interdisent notre foi. Tu patienteras et tu attendras la délivrance d'Allah. De cette dounya[3], tu te détacheras ; on s'en fout d'ici-bas. Tu as attrapé l'anse, celle qui ne se brisera jamais. Tu fais partie des clairvoyants maintenant. N'oublie jamais : nous aimons la mort plus qu'ils n'aiment la vie. Alors nous gagnerons toujours. *Allah u akbar, dawla islamiya baqiya*[4]. »

Ces phrases tournent encore et encore dans sa tête, tel un mantra.

Pendant les trois jours d'interrogatoire, pendant l'audience devant le juge antiterroriste, Léa est fière. Elle ne craint rien. Elle ne lâchera rien. C'est une guerrière, une combattante, une moudjahiddin. C'est son djihad, personne ne pourra la

---

2. « Si Dieu veut ».

3. Vie sur terre. Pour les radicaux, celle-ci n'a aucune valeur.

4. « Dieu est le plus grand, l'État de l'islam se maintiendra. » Le terme *baqiya* est apparu dans la communication de Abu Muhammad al-Adnani diffusée en 2011 et intitulée « Certes l'État islamique se maintiendra *(baqiya)* » : « Bien que toutes les obédiences de l'infidélité se soient liguées contre nous [...] l'État islamique d'Irak se maintiendra ! *Baqiya*, malgré vos meutes de chiens, vos alliances et vos collaborations ! *Baqiya*, malgré vos légions et vos armes ! *Baqiya*, malgré vos stratagèmes, vos ruses et vos complots ! *Baqiya*, malgré votre rage, votre détestation et votre haine ! *Baqiya*, malgré tout votre orgueil ! » Un an plus tard, en juillet 2012, le leader de l'État islamique, Abu Bakr al-Baghdadi reprend à son compte le terme, qui va devenir la devise de l'organisation.

détourner de son chemin. Ils peuvent toujours essayer, elle est plus forte que tout le monde. Ils n'arriveront pas à la faire parler. Dieu l'a choisie.

Nadia

Nadia attend avec patience son bagage. Cela fait bien vingt minutes que l'avion a atterri, et elle est toujours dans ce hall. Il lui paraît si petit, si sale. Elle se rend aux toilettes, où l'odeur la saisit. À Montréal, tout était si propre. Ici, ça sent l'urine. Peut-être qu'elle n'a pas envie de rentrer. Pourtant, elle avait eu du mal à partir... Avec toutes les familles en détresse en France, mettre un message d'absence sur son mail et sur son téléphone, c'était presque de la haute trahison. Comment prendre des vacances alors que des jeunes partent à la mort ?

Son corps avait pris la décision : un lumbago en juin, les cervicales bloquées en juillet, elle s'était résignée. Il fallait souffler pour mieux repartir. D'ailleurs son équipe aussi était à bout. Ce n'était pas seulement dû aux heures de travail accumulées, mais aussi au poids des larmes versées par les parents. La semaine, le soir, le dimanche, il y avait toujours un père ou une mère qui apprenait le départ de son enfant vers Daesh... Le rythme n'augmentait pas mais ne baissait pas non plus ; il était stable.

De retour dans le hall d'arrivée, elle aperçoit enfin sa valise rouge sur le tapis roulant. Elle l'attrape, et c'est uniquement à ce moment-là qu'elle tape le code de sécurité de son téléphone professionnel, éteint depuis trois semaines. Bouygues lui souhaite la bienvenue. Son répondeur lui indique qu'il est plein. Nadia range sagement son portable dans son sac et prend la direction des taxis.

Une fois assise sur la banquette arrière, elle l'entend sonner. Machinalement, elle appuie sur le petit rond vert :

– Allô Nadia, c'est vous ?

– Oui, c'est moi...

– Oh ! Dieu soit loué... Léa a voulu faire un attentat. C'est Marie, vous savez, Marie...

Nadia voit défiler les visages des mères orphelines les uns après les autres, comme si elle ne les avait jamais quittées. C'est ainsi qu'elle les appelle, toutes ces mères qui l'ont contactée au printemps dernier au moment où elles découvraient que leur enfant était en lien avec des réseaux djihadistes. Marie, Marie... Léa... Elle a beau se concentrer, cela ne lui dit rien. Les pères, elle s'en souvient mieux car ils sont moins nombreux à prendre en charge directement les premiers signes de radicalisation de leur enfant.

– Marie, vous savez ? Je suis venue au dernier séminaire de juillet, juste pour de la prévention. Je me posais des questions. Léa s'était convertie de façon si soudaine et si stricte... Vous aviez expliqué la différence entre l'islam et le radicalisme. Je ne connaissais pas Paris... Vous aviez envoyé quelqu'un me chercher...

– Ah ! oui, bien sûr, Marie !

Nadia se souvient de cette dame qui arrivait d'une bourgade bretonne. Elle avait l'air tellement paniquée et sûre de se perdre que Nadia avait envoyé un membre de son équipe, Samia, la récupérer à la gare. On aurait dit qu'elle n'avait jamais quitté son village. Elle avait écouté et pris des notes sans dire un mot. Nadia en avait déduit que ses explications l'avaient rassurée : sa fille n'était pas endoctrinée mais simplement convertie...

– Pourquoi me parlez-vous d'attentat ?

– Parce que c'est la vérité ! Léa a été en contact avec un terroriste tout l'été ! On ne se doutait de rien... Quand je suis rentrée du séminaire, j'ai tout expliqué à mon mari. Alors on a décidé de parler aux gendarmes. Vous comprenez, les gendarmes, Paul les connaît bien avec son métier. Vous ne devez plus vous en souvenir, mais il est pompier. On leur a dit : « Voilà, Léa n'a pas beaucoup de signes de radicalisation, on dirait qu'elle est juste convertie, mais Paul a trouvé des vidéos de djihadistes sur son ordinateur. » C'était celles dont vous aviez parlé au séminaire. Vous savez, les fameuses « 19HH ».

– Oui, je sais bien...

Nadia avait travaillé des mois sur Abu Talib pour étudier ses vidéos et les expliquer aux parents. C'était comme si on lui évoquait une vieille connaissance. Elle voudrait se précipiter sur Internet pour voir ce qu'il a inventé de nouveau pendant ce mois d'août. C'est le chef des manipulateurs. Très intelligent, il mélange le vrai et le faux dans chacune de ses phrases et sa série ne comporte aucune image cruelle. Il attrape les jeunes en leur faisant miroiter des rôles de sauveur : sauver les enfants gazés par Bachar al-Assad, sauver le monde des sociétés complotistes sionistes, sauver les humains des forces du mal, etc. Ce faisant, il individualise les raisons de partir en Syrie.

– Eh bien on a tout dit aux gendarmes. Comme ils ne connaissaient pas ces vidéos, j'ai tout expliqué comme vous...

– Vous êtes formidable, Marie...

– Oui, heureusement que j'étais venue au séminaire... Ils étaient effarés, ils ont dit qu'il était dangereux cet homme... Et puis ils nous ont conseillé de partir en vacances quand même et nous ont indiqué qu'ils la mettaient sous surveillance. « Tout est sous contrôle », ils ont déclaré. Alors Paul et moi, on est partis tranquillement avec les enfants. On avait réservé dans un camping dans le Sud. Tout s'est bien passé. On a même cru que Léa laissait tomber l'islam : elle a bu, flirté... On a oublié, Nadia, oublié, vous vous rendez compte ? Je me suis dit que je m'étais inquiétée pour rien, je suis tellement mère poule ! Et quand on est rentrés, la brigade antiterroriste a débarqué à la maison. Léa est encore avec eux. Ils ont dit qu'elle s'apprêtait à commettre un attentat, Nadia, vous vous rendez compte ?

– Un attentat sur le sol français ? Ils n'ont pas dit où ?

– Dans une synagogue, Nadia ! Dans une synagogue ! Mais je ne sais même pas comment... Ma fille, un attentat... C'est possible Nadia, dites-moi, c'est possible ? Mais comment ? Pourquoi ?

Nadia voudrait être avec elle et la prendre dans ses bras. Combien de fois, au « café des orphelines » où tout le monde se réunit, les gestes remplacent les mots. Les mères et quelques pères se tutoient rapidement et s'embrassent instinctivement, pour se donner de la force. Ils se serrent dans les bras. Il y a des pauvres et des riches, des athées et des catholiques, quelques musulmans et un ou deux juifs, des Parisiens et des provinciaux, mais là-bas, dans la salle de ce café, ils sont tous les mêmes.

– Où êtes-vous, Marie ?

– À deux heures de Paris.

– Je viens tout juste d'atterrir. Laissez-moi poser mes affaires, prendre une douche, et je vous rejoins au tribunal. Vous avez réservé un hôtel ?

– Non, Cathy nous attend chez elle.

– La maman de Salomé ?

Cathy était la femme qui donnait à Nadia le plus de courage depuis le début. Personne ne l'avait crue lorsqu'elle avait repéré les premiers signes d'endoctrinement de sa fille. Les commissariats lui avaient fait la morale, comme si c'était elle qui ne supportait pas que sa fille devienne musulmane. C'était un peu vrai... Cette famille juive pratiquante n'était pas spécialement heureuse que son enfant se convertisse à l'islam. Mais Cathy avait raison : il ne s'agissait pas d'une conversion mais bien d'un début d'endoctrinement. Elle avait sauvé sa fille à bout de bras, seule contre le monde entier : les institutions qui la voyaient comme une islamophobe, les rabbins qui la prenaient pour une mauvaise mère, etc. Et pendant qu'elle menait son combat solitaire, sa famille débattait pour savoir quand faire la prière de la mort, rituel à opérer lorsqu'un enfant quitte la religion juive...

– Oui, bien sûr, il n'y a pas d'autre Cathy...

– Très bien, on se retrouve là-bas.

Nadia raccroche, réconfortée : une maman juive accueille la maman de celle qui s'apprêtait à commettre un attentat dans une synagogue. C'est ce genre de liens humains qui l'aide dans son combat. La vie plus forte que la mort, sans conditions... Pourquoi et comment diable ont-ils pu harponner Léa en plein terrain de camping ? C'est la première fois qu'un des jeunes qui voulaient partir en Syrie se préparait à commettre un attentat visant la France.

Zahra

Nadia a demandé à Zahra de la rejoindre au tribunal de toute urgence avec le reste de l'équipe. Ça a l'air grave, mais Zahra est heureuse de reprendre le combat. Elle s'est sentie seule tout l'été, et puis ce nouveau travail auprès des mères orphelines n'est pas vraiment un travail. C'est pour elle un moyen de se ressourcer et de se soigner. Sophian, son ex-mari, l'a harcelée pendant les deux mois de vacances. Chaque quinzaine, il troquait son qamis [5] contre un jean et un tee-shirt Nike pour aller porter plainte contre son ex-femme au commissariat pour non-présentation de leur fille Inaya. Zahra a été convoquée chaque fois.

Nadia était intervenue à d'innombrables reprises. Elle en avait même parlé chez Michel Field, sur le plateau de LCI : « Les juges ne savent pas faire la différence entre un musulman et un radical. On persécute les mamans qui portent un foulard pour les empêcher d'accompagner les élèves au théâtre, et on valide des radicaux qui veulent partir en Irak mourir avec leur bébé et une ceinture d'explosifs. » Avec toute la force de conviction qui la caractérisait, Nadia avait cité une énième fois la décision du

---

5. Longue chemise couvrant l'homme jusqu'aux pieds.

juge obligeant Zahra à confier régulièrement, pour plusieurs jours, la garde de son enfant à son ex-mari pro-djihadistes : « Vous vous rendez compte ? C'est marqué noir sur blanc sur l'ordonnance : "Certes monsieur coupe la tête des poupées, certes monsieur coupe celle des papillons du mobile de la chambre, certes il déclare refuser le bac à sable pour que sa fille ne se mélange pas avec des êtres impurs, affirme qu'elle portera le voile à 7 ans et le niqab[6] à 12... Certes monsieur est très musulman. Mais la France respecte la liberté de conscience et monsieur bénéficie de son droit de visite et d'hébergement comme tous les pères de famille." » Elle avait posé ses notes et levé les yeux au ciel : « Donc couper la tête des poupées, c'est être "très musulman" ? Le juge voit vraiment l'islam comme une religion archaïque ! Si c'était un père chrétien ou bouddhiste, on lui collerait une expertise psychiatrique pour comprendre quel est son problème ! On ne se dirait pas qu'il est "très chrétien" ou "très bouddhiste" ! »

Mais rien n'y a fait. À chaque convocation, Zahra tremble à l'idée de rester en garde à vue. Treize plaintes de non-présentation d'enfant, cela fait beaucoup. En vérité, Sophian voit sa fille, mais en sa présence. Zahra l'accompagne en restant éloignée, de manière à pouvoir hurler s'il mettait la petite dans une voiture.

Zahra est soulagée de rejoindre l'équipe. C'est comme une deuxième famille. Elle chasse de sa tête l'ultime affrontement de sa vie commune avec Sophian. Progressivement, il avait jeté toutes les poupées et les peluches d'Inaya. Plus exactement, il

---

6. Grand tissu qui cache le corps de la femme de la tête aux pieds, y compris le visage, ne laissant que les yeux apparents.

lui avait laissé sa préférée après lui avoir enfilé une chaussette sur la tête. Quand Zahra s'était insurgée, il avait prétendu que l'islam interdit toute représentation d'êtres vivants parce que cela attire le diable :

– C'est mon devoir de protéger ma fille contre Satan. La femme est un trésor, son mari un contrefort, et Allah la clé d'un amour sûr.

Zahra avait regardé la poupée d'un air bête, ne sachant que répondre.

Il avait alors attrapé la rescapée cagoulée avec la chaussette et ajouté :

– J'ai fait une faveur à Inaya, elle est trop petite pour que je lui explique. Pour ne pas la traumatiser, je lui ai laissé la rousse, car je sais qu'elle y est attachée. Je n'ai pas coupé sa tête, j'ai juste mis une chaussette. Tu peux la remplacer par ce que tu veux. Mais interdit de montrer le visage. C'est pour votre bien.

Deux jours plus tard, il avait jeté tous les CD de musique. Chacun d'eux était associé à une étape de la vie de Zahra. Elle les gardait précieusement, comme s'ils étaient la preuve que le temps passe, même quand elle avait le sentiment qu'il était suspendu. À la mort de son père, elle avait réécouté leurs groupes préférés en appuyant sans cesse sur la touche *repeat*. Pendant l'hospitalisation de sa mère, elle s'était replongée dans le répertoire d'Idir [7] et avait fredonné plusieurs de ses chansons entre deux prières. Quand elle se sentait flotter entre deux mondes, les souvenirs reliaient Zahra à la vie et Dieu lui donnait la force. Et tous ces repères, qui l'aidaient à ne pas

---

7. Chanteur kabyle.

se laisser submerger par la souffrance, venaient de finir dans la benne à ordures du HLM.

Sophian donnait toujours la même explication : la musique et les représentations humaines ou animales attirent le diable et détournent de Dieu. Il voulait protéger sa famille et veiller à ce que de mauvais esprits ne s'installent pas en son absence. Mais que disait exactement l'islam sur les images ? C'est vrai qu'il n'y a pas de représentations dans les mosquées ; tous les motifs sont géométriques. Zahra était perdue. Ses parents lui avaient parlé pendant des heures du ramadan, des prières, du bon comportement, mais jamais des poupées... Elle s'en était ouverte à Nadia qui avait piqué une colère :

– Mais non, l'islam n'interdit pas les images... Tu ne vois pas tous les chameaux brodés sur nos tapis ou quoi ? On nous demande juste de ne pas vénérer une idole en la prenant pour un dieu, c'est tout de même différent ! C'est parce qu'avant l'islam, chaque tribu imposait son idole à sa rivale, et cela engageait des batailles incessantes. Lorsque Dieu a parlé à Mohamed – Paix et Bénédiction sur lui –, ce dernier a fait disparaître toutes ces figurines et a rassemblé tous les habitants autour d'un Dieu unique. Inaya se prosterne devant son canard en peluche ? Non ? Alors tout va bien ! Sophian n'a aucun prétexte pour jeter les jouets de ta fille.

Devant le bâtiment du tribunal, Zahra aperçoit Nadia et son équipe en pleine ébullition, avec deux mamans orphelines et un papa. Nadia parle avec les mains. Zahra sourit : les officiers qui protègent Nadia ne cessent de lui dire d'arrêter de discuter en pleine rue. En plus, elle parle fort. Zahra entend les mots familiers de son nouvel univers professionnel : Daesh, Kalach', décès, Abu Hamza, parti, faux papiers, sur écoute, attentat, etc.

L'ambiance a l'air tendue mais Zahra est contente de tous les retrouver : Fadil, Samia, Fathia, Samy et Clara, l'une des filles de Nadia. Pour un peu, elle embrasserait aussi les officiers de sécurité de Nadia. Ils font partie de l'équipe maintenant.

Léa

Léa ne les regarde pas. Ses parents l'ont traînée dans cette salle sans explications, au fond d'un hôtel. Elle se sent très différente de tous ces koffars, assis autour de la table. Elle a immédiatement reconnu la femme avec son bandeau ; sur les réseaux, on l'appelle la Sheitan de BFM. Pour passer à la télé, c'est évident qu'elle pactise avec les juifs ! Elle traite de terroristes les frères qui sont chez Daesh, ne connaît rien à l'islam. À qui veut-elle faire croire qu'elle est musulmane, cette Nadia aux bras qui dépassent ? Elle fait partie des pantins payés par on ne sait qui pour anéantir l'islam.

Léa reconnaît le frère de Norah. Encore un égaré, qui prétend que sa sœur est séquestrée en Syrie. Elle l'a vu plusieurs fois dans des reportages à la télé. Et puis il y a une rousse qui s'appelle Zahra, d'après ce qu'elle comprend. Une tête de Français qui se fait appeler Fadil. Et une tête d'Arabe qui se fait appeler Clara. Deux flics dans la pièce d'à côté. Elle les a reconnus de loin, au regard, quand elle est passée devant eux. Il y a aussi d'autres adultes et des jeunes de son âge.

Une fille porte le hijab[8]. Léa se sent nue et vulnérable avec son tee-shirt. Ses parents ont jeté ses jilbabs[9] et tout ce qui ressemblait de près ou de loin à un foulard. Elle les portait en cachette, dès qu'elle sortait de la maison, la tête baissée. Comme ça, elle les maîtrisait, tous ces koffars qui voulaient détruire sa religion ; et eux ne la voyaient pas. Invisible elle voulait être, invisible elle serait. Souvent elle tirait son long voile noir sur son nez, juste assez pour ne pas s'empêcher d'y voir. Son jilbab, c'était son meilleur ami. Avec lui, elle se déplaçait incognito. Elle ne craignait rien. Elle était protégée, blindée.

Que fait-elle ici aujourd'hui ? Quand la juge l'a rendue à sa mère, Léa était toujours aussi sûre d'elle, rien ne l'avait ébranlée. Elle avait bien entendu qu'elle était « remise à ses parents avec contrôle judiciaire strict », qu'elle devait pointer tous les matins à la gendarmerie. Ses parents l'avaient ramenée à la maison comme si de rien n'était. Son père avait bien essayé de la prendre dans ses bras, mais elle l'avait rejeté. Elle ne savait pas trop pourquoi, c'était plus fort qu'elle. Sa mère avait le visage bouffi tant elle avait pleuré. Puis ils l'avaient gardée enfermée à la maison pendant deux semaines. Sa mère avait cessé son travail pour la surveiller. Aujourd'hui ils l'avaient conduite ici, dans cette salle, sans lui donner d'explications. Mais tout le monde est tourné vers cette autre fille, vêtue d'un jilbab. Léa ne veut pas écouter mais la discussion s'impose à ses oreilles.

---

8. Foulard porté par les musulmanes pour cacher les cheveux.
9. Grand tissu qui cache le corps de la femme de la tête au pied, laissant le visage apparent.

C'est la koffar au bandeau qui pose la première question :

– Tu peux nous dire comment ça a commencé ?

Tiens, elle n'a pas la même voix qu'à la télé !

La sœur répond :

– J'ai toujours cru en Dieu, contrairement à mes parents. Quand tu commences à t'intéresser à l'islam, tu as l'impression que ça rassemble tout le monde, que ça amène la paix... Ça te donne envie, toute cette fraternité. Et puis porter le jilbab m'a libérée. Avant je ne supportais pas les regards, je n'osais plus sortir dehors. Depuis que je le porte, je me sens protégée.

La tête d'Arabe au prénom de koffar intervient :

– Tu avais peur du regard des hommes ou peur d'affronter l'espace ?

– J'avais le sentiment que tout le monde me regardait comme une mauvaise personne. Je n'arrivais plus à vivre avec la peur en moi. Je ne pouvais plus marcher dehors, même quand il n'y avait personne. Je n'avais pas la force de sortir de chez moi. Je n'allais plus en cours. Je ne répondais plus aux textos de mes amis.

La tête d'Arabe fait semblant de la comprendre :

– Et ton jilbab te redonne de la force ?

– Oui. C'est comme si en moi il y avait quelque chose de malhonnête, de mauvais... Et le jilbab me protège de cette chose. Et comme il me protège, les gens ne peuvent plus me faire du mal. Et puis quand je le porte, les hommes baissent les yeux et les musulmanes me disent bonjour. Du coup, j'ai l'impression d'exister...

– Si dans l'islam il n'y avait pas eu le jilbab, tu te serais quand même convertie ?

Question débile d'apostat pure souche : comment peut-elle imaginer un islam sans jilbab ? Heureusement que la reconvertie [10] ne se démonte pas :

– Je ne sais pas... C'est dur de l'enlever... C'est le jilbab qui me libère. Quand ma mère est avec moi, comme elle refuse que je le porte, je mets ma capuche pour ne pas redevenir fragile. Elle ne supporte pas que je me prenne en photo en jilbab, mais moi ça me fait plaisir de me voir ainsi. Ça veut dire que j'existe et que je me suis sauvée.

La koffar rousse intervient à son tour :

– Moi aussi, quand mon mari s'est radicalisé, il m'a convaincue de le porter. Et c'est vrai que cela m'a apaisée au départ. Il me disait que j'étais sa perle et que le jilbab était mon écrin. J'étais comme toi, je voyais des gens mauvais partout. Alors j'avais le sentiment que c'était une armure. Mais plus je le mettais, plus les gens me regardaient mal, plus je les détestais, et plus j'avais envie de le mettre. Et quand je voyais d'autres filles « jilbabées » comme moi, j'avais le sentiment de me reconnaître en elles. On s'attirait comme des aimants.

La koffar au bandeau reprend la parole et fait mine de s'adresser à la rousse. C'est un stratagème. En vérité, Léa comprend qu'elle s'adresse à la sœur en jilbab.

– Est-ce que tu sais maintenant que le jilbab ne fait pas partie de la philosophie de l'islam ?

Léa s'attend au pire. C'est sûr, elle va débiter les pires inepties.

---

10. Les radicaux estiment que tous les humains naissent musulmans et que leurs parents les ont convertis à une autre religion. Quand ils se convertissent à l'islam, ce n'est donc pas, à leurs yeux, une simple conversion mais bien une « reconversion ».

– L'islam a quatorze siècles et le niqab quatre-vingts ans. Il a été sacralisé dans les années 1930 avec les wahhabites de l'Arabie Saoudite, au moment où les dirigeants de ce pays ont découvert leur pétrole et ont pris le pouvoir sur la traduction et l'impression des livres religieux. Ils ont alors décidé que depuis quatorze siècles, les musulmans avaient mal compris le Coran et que le débat ne concernait pas le port du hijab – c'est-à-dire le foulard –, mais celui du jilbab ou du niqab. Pourtant, ce vêtement qui cache le visage n'est qu'une tradition ancestrale des tribus pachtounes de l'Afghanistan. Soit un rite antéislamique. Ce sont les wahhabites qui l'ont sacralisé.

La koffar rousse reprend la parole :

– Leur but, c'est d'effacer tes contours identitaires pour que tu aies le sentiment d'être la même que celles qui le portent. Progressivement, tu n'existes qu'en appartenant à ce groupe, tu rejettes ta famille ; ce que tu commençais à faire.

Une fille du nom de Sarah prend la parole :

– C'est vrai qu'ils présentaient le jilbab comme une obligation et ils me disaient : « À force ta mère va voir qu'elle n'a pas le choix »...

La koffar au bandeau reprend :

– Maintenant, tu as conscience qu'ils te disaient ça pour que ta mère et toi vous vous éloigniez l'une de l'autre, que vous soyez en rupture...

– Oui, maintenant oui. Mais à l'époque je détestais ma mère parce que je trouvais qu'elle n'acceptait pas mon islam.

Une autre égarée s'en mêle. Léa n'a pas entendu son nom, peut-être Inès ou quelque chose comme ça :

– Pour nous toutes, c'était pareil... On pensait vraiment que c'était une obligation... En fait, j'ai encore du mal à me passer du jilbab...

– Moi non, ça y est. J'aurais l'impression que ce n'est plus moi, déclare Sarah.

La koffar au bandeau peut conclure :

– Mais c'est fait exprès : pour que tu ne sois plus toi... Ça a été inventé pour que tu ne sois plus toi.

La rousse en remet une couche... Léa se dit que cette fille a dû tomber dans une secte pour parler ainsi.

– On vous fait croire qu'on vous protège en rentrant dans ce groupe et en fait, vous êtes encore plus fragiles et à la merci de ce qu'ils vont décider...

La koffar au bandeau reprend :

– Vous êtes diluées dans le groupe.

– Oui, diluée, c'est ça, tu ne t'appartiens plus, murmure Sarah.

Le frère de Norah, l'égaré du nom de Samy, lance d'un ton intrusif et sanglant :

– Ils veulent que vous n'ayez qu'un seul cerveau pour quatre filles quoi !

La koffar au bandeau prend les sœurs pour des connes et récite son couplet préféré adulé par les égarés :

– D'abord, on te prend ton identité. Le hijab, le foulard quoi, c'est différent : tu peux le choisir de la même couleur que ta chemise, tu restes une personne qui voile ses cheveux. D'ailleurs, dans toutes les régions du monde, les voiles étaient différents, adaptés à la culture du pays ! Avec le jilbab ou le niqab, vous êtes les mêmes, des « copier-coller ». Ensuite, le but de ce discours est de te prendre ton cerveau. Petit à petit, c'est le groupe qui va penser à ta place. Pour le moment, tu es encore toi. Tu commences tes phrases par « je ». Bientôt, tu réciteras les mêmes hadiths [11] qu'ils te répètent. Tu ne sauras plus dire « je ». Or, dans le Coran, tu sais qu'il est marqué que l'islam est une religion universelle justement parce que la parole de Dieu peut toucher chaque cœur de manière différente ?

La sœur qui s'appelle Sarah reprend son récit :

– Après, j'ai fait la bêtise d'aller sur Facebook... C'est là qu'ils arrivent et profitent de ton émotion. Ils commencent à jouer de ta curiosité, de ta naïveté... Tu crois qu'ils sont là pour toi, tu as vraiment l'impression que c'est ta nouvelle famille. Ils peuvent te faire croire tout ce qu'ils veulent. Tu ne réfléchis plus, tu gobes tout... « C'est comme ci, c'est comme ça... » Tu cliques, tu cliques, tu cliques et à chaque fois, ils te font entrer des nouveaux trucs dans le cerveau, mais tu ne t'en rends pas compte : « Tes parents ne te comprennent pas, regarde toutes les injustices du monde et ils ne disent rien, regarde, ils prient sur une terre de mécréance, donc leurs prières ne sont pas reçues par Dieu et ils s'en foutent... » J'apprenais sur Internet que tous les musulmans étaient massacrés partout, et j'avais trop mal au cœur. Comme la communauté internationale avait une fois de plus laissé faire, nous avions le devoir de combattre nous-mêmes les soldats de Bachar al-Assad. Je me suis mise en contact avec Abu Talib. Avec lui, je me focalisais sur les injustices, je ne voyais plus rien d'autre. Mais en même temps c'était

---

11. Paroles, faits et gestes du Prophète rapportés par les premiers compagnons. Les hadiths composent la Sunna, deuxième source de l'islam après le Coran.

bien d'être avec eux, ça réconfortait. C'est dur d'en sortir. Je préférais avant...

– Pourquoi c'était mieux avec eux ? demande la tête d'Arabe au prénom de koffar. Tu te sentais portée, comme dans une bulle ?

– Oui, une bulle qui ne pouvait pas éclater. Rien ne pouvait nous atteindre, je n'avais pas peur de mourir, on était comme les cinq doigts de la main, tous liés. S'il y en avait un qui était touché, on était touchés nous-mêmes...

L'autre fille, qui s'appelle bien Inès, intervient :

– Moi c'est ce que je cherchais en fait : mourir pour être libérée de ce monde, de la dounya...

Elle poursuit :

– C'est pour ça que quand les flics nous disent : « Ouais, tu vas aller en prison, au foyer, etc. », en fait on s'en fout, on voit ça comme une épreuve d'Allah. Donc on se dit que ce n'était pas le moment de partir en Syrie et qu'on ira plus tard... Et plus tard tu recommences, et si ça ne marche encore pas tu te dis toujours que c'est une épreuve d'Allah... Alors on patiente, on se fiche de tout ce qui peut nous arriver parce qu'on sait que ce sont des épreuves d'Allah *soubhanallah* [12]. Ils nous le disent sans arrêt : Allah éprouve ceux qu'Il aime...

La koffar au bandeau lui demande combien de fois elle a voulu rejoindre la Syrie.

– J'ai été arrêtée trois fois par la police, dans trois pays différents.

Elle ajoute :

_____

12. « Gloire à Allah ».

– Même si les frères qui combattent en Syrie ne nous connaissent pas, on sait qu'ils nous aiment. On est plus importantes pour eux que leurs vrais frères et sœurs qui n'ont pas envie de partir... En fait, ils sont plus que nos nouveaux frères et sœurs, ce sont nos doubles, nos « mininous ». On est une seule personne. On ne souffre plus... On se dit : « Si lui, il tombe, je tombe ». On n'existe plus, donc on n'a peur de rien.

Léa a envie de l'embrasser. Elle se demande si ce n'est pas Chaïda qui se trouve en face d'elle. Elle ne se souvient plus de son nom de koffar mais Inès, ça ne lui dit rien... Chaïda, ça veut dire martyr en arabe. C'était sa sœur préférée. Elles étaient toujours en lien, sur Internet, mais ne se sont jamais vues. Elles se téléphonaient parfois, mais vite fait, à cause des flics. Cette façon de parler, cet accent lui sont familiers...

Le frère de Norah la relance. Ça se voit qu'il ne connaît rien au vrai islam :

– Et tu ne te dis pas dans ces moments-là que si Dieu t'a mise sur terre, c'est pour que tu vives ?

La sœur lui répond d'une bonne façon, ça se voit qu'elle possède la science de l'islam. C'est sûr, c'est Chaïda.

– Non, on se dit qu'Allah a déjà écrit le maktoub [13] et que s'Il a écrit le martyr, je mourrai en martyr...

La sœur en jilbab renchérit :

– En fait, c'est comme si mourir pour Allah, c'était une preuve. La meilleure preuve qu'on pouvait lui donner... On lui donne notre vie quoi. Ils nous montraient des vidéos

_____

13. Le destin.

d'hommes qui mouraient en martyr avec un visage illuminé, alors que les autres étaient tous vilains, calcinés...

L'égaré reprend, un rien agressif :

– Et vous n'avez jamais pensé que c'étaient des montages ? En fin de compte, l'épreuve, c'est vous qui la créez, c'est même pas l'épreuve d'Allah, c'est vous qui inventez tout...

– Non, tu penses ce que tu lis, tu crois ce qu'on te dit...

La koffar au bandeau se met à raconter n'importe quoi. Elle leur explique que l'embrigadement consiste à les dégoûter du monde réel et à les amener à suspecter tous les adultes en qui elles avaient confiance avant. Elle poursuit son discours en affirmant que leur envie de fuir le monde réel est normale. Que l'embrigadement remplace la raison par le mimétisme et la répétition. Elles sont des victimes et non des coupables. Ensuite, elle parle d'une jeune qui a vu son grand frère se faire écraser quand elle avait 10 ans. Elle ne voulait pas vivre plus longtemps que lui : 13 ans. Les frères de la Dawla [14] l'ont fait parler et lui ont proposé de mourir dans les 48 heures, à peine arrivée, avec une ceinture, en lui promettant de rejoindre son grand frère au paradis.

Léa ne peut s'empêcher de penser à sa petite sœur, décédée il y a deux ans. Elles étaient si proches... C'était aussi son rêve : éliminer des ennemis de l'islam, venger les frères et les sœurs persécutés par l'Occident et rejoindre sa petite sœur au paradis.

Léa a compris que certaines femmes étaient des mères. Elles pleurent depuis le début. Dès les premières phrases, elles ont

---

14. Les proches de Daesh parlent de la Dawla (« État » en arabe), et non de Daesh, acronyme de l'État islamique de l'Irak et du Levant, utilisé par les médias occidentaux.

attrapé leurs mouchoirs. L'équipe de koffars doit avoir l'habitude car ils en ont des paquets tout prêts. Léa tourne le dos à sa mère et garde les yeux rivés sur ses sœurs.

Chaïda ne se démonte pas du tout et lui montre sa science :

– Il y a un argument qui reste quand même tout le temps, même quand on en sort ; je crois que c'est un hadith qui dit que Allah va faire un tri vers la fin du monde et que ce sont les meilleurs qui iront au Sham [15], et sinon c'est Allah qui les aura refoulés...

L'égaré Samy s'obstine :

– Ça, c'est du pipeau ! Sur la fin du monde les savants divergent : ils utilisent des hadiths non authentiques qu'ils sortent de leur contexte pour vous faire croire n'importe quoi !

La koffar au bandeau reprend :

– Toutes les religions parlent de la fin du monde. C'est vrai que l'islam affirme qu'elle se passera sur la terre du Sham. Mais cela fait partie de votre embrigadement de vous faire croire que la fin du monde se passe maintenant, pour vous obliger à partir sans réfléchir, dans la précipitation. On vous promet de sauver l'âme de vos parents, de vous battre pour un monde meilleur, de trouver la terre promise, sans vices, où tout le monde est solidaire... La guerre renforce l'esprit de fin du monde. Et plus vous croyez que la fin du monde approche, moins vous réfléchissez. C'est un peu la panique et vous suivez ce qu'on vous dit...

Léa ne peut s'empêcher d'intervenir :

– C'est la science qui dit ça. Les hadiths le prouvent : il y aura un grand massacre qui laissera le monde indifférent. Or

---

15. La terre du Levant, là où la fin du monde commencera d'après les textes de l'islam.

Bachar al-Assad a gazé son peuple sans que personne ne bouge. On ne suit les conseils de personne. C'est Dieu qui l'a dit, c'est pour cela qu'on Lui obéit.

La koffar au bandeau ne prête pas attention à son intervention. Elle continue à s'adresser à Chaïda et enchaîne les foutaises :

– Mais, Inès, je ne comprends pas... Quand tu entends « les meilleurs seront au Sham », tu comprends que les meilleurs, ce sont ceux qui tuent tous ceux qui ne pensent pas comme eux ? C'est ça, pour toi, « les meilleurs musulmans » : ceux qui tuent les autres ?

Chaïda lui répond, Léa se demande pourquoi.

– Ils arrivent à te faire croire ça, oui...

Sarah reprend la parole :

– Ils nous sortent des trucs pour nous dire que c'est bien de tuer. Au fond de nous, en fait, on sait que c'est pas bien de tuer. Mais quand on les écoute, on change d'avis...

La koffar au bandeau cherche comment répondre.

– Tu connais la signification du halal quand il s'agit de la viande ? Ça veut dire quoi, « manger halal » ? Cela signifie qu'on indique à Dieu qu'on va tuer par besoin et non par plaisir... En fait, on doit bien préciser qu'on est obligé de tuer l'animal parce que sinon, on mourrait de faim. Pour faire simple, on précise à Dieu qu'on ne prend pas sa place, qu'on ne décide pas de la mort d'un animal. On dit à Dieu « Je ne suis pas Dieu », tu vois ? Et chez les juifs et les musulmans, on part du principe qu'un animal a une âme. Il ne doit pas avoir peur avant de mourir et ne pas avoir mal... Sinon la viande n'est pas halal, licite aux yeux de Dieu. Alors si tu dois prendre ces précautions avec un animal et que tu dois justifier sa mort uniquement par besoin de survie, comment imaginer que Dieu permette de prendre des vies humaines ? Et de les couper en morceaux ? Normalement, le « smic » musulman, c'est de comprendre que seul Dieu prend et donne la vie...

Chaïda a l'air touchée. À présent, elle parle tout doucement :

– Au départ, je ne voulais pas du tout tuer... Au contraire, je voulais sauver la vie des enfants gazés par Bachar al-Assad. Et puis de fil en aiguille, ils t'apprennent à te méfier de tout le monde et tu as envie d'éliminer tous ces ennemis invisibles qui veulent t'empêcher d'accomplir ta mission... Ils disent que c'est un besoin pour réinstaurer le califat...

Sarah enchaîne :

– Ils disent que c'est un devoir. Une obligation même, sinon le califat ne sera jamais rétabli. On doit faire nous-mêmes le tri et élever la parole d'Allah, on doit montrer que les vrais musulmans sont supérieurs aux autres...

– Faire le tri... Donc trier les faux musulmans des vrais musulmans ?

La koffar a planté ses yeux dans les siens.

– Oui...

– Et être supérieur, ça veut dire tuer les autres ?

C'est Chaïda qui répond :

– Oui, c'est les minimiser pour qu'il n'y ait plus que des musulmans véridiques sur Terre. Il faut tuer les apostats et les koffars... Ils veulent qu'on se mette tous ensemble à un endroit pour pouvoir combattre en gagnant de plus en plus de territoire. Ils veulent que les véridiques se regroupent pour s'étendre.

La koffar au bandeau écarquille les yeux et s'adresse à nouveau à Chaïda sur un ton très doux, en prenant le temps d'articuler très distinctement sa question :

– Oui, mais moi, ce qui m'intéresse, c'est que tu m'expliques pourquoi, toi, tu les crois...

– On a toujours un doute. On se dit : « Est-ce que c'est vraiment bien ou pas ? »... Comme on n'a pas la connaissance nécessaire sur l'islam, on les croit, parce qu'à la base, on sait que les musulmans qui sont partis là-bas voulaient faire le bien : sauver les enfants gazés par Bachar al-Assad, tuer ses soldats, se battre contre les forces du mal dans ce qui est la dernière bataille de fin du monde... Et d'un autre côté, on se dit : « Mais non, faut pas faire ça, Dieu n'a jamais dit qu'il fallait tuer... Tuer une personne, c'est tuer toute l'humanité... » Alors on devient complètement schizophrène dans notre tête : un jour on veut rester, un jour on veut partir, une heure on veut rester, une heure on veut partir... Une heure on les admire, une heure on les met plus bas que terre... Ça m'a rendue folle. Des fois, j'étais dans mon lit le soir et, dans ma tête, il y avait plein d'images qui défilaient, plein de phrases qu'on me répétait encore et encore qui tournaient en boucle. Je pensais à ma famille, à mes amis, à ma vie ici, je ne savais pas du tout quoi faire... J'étais complètement paumée.

– Inès, as-tu des raisons de vouloir en finir avec la vie ? Est-ce que tu ne penses pas que c'est toi qui veux mourir ? Ou est-ce que tu crois que c'est Dieu qui le veut ?

Inès/Chaïda se laisse avoir :

– Non, maintenant, je sais que c'est moi...

La koffar ne la laisse pas tranquille. Elle lui demande de répéter. Léa se dit que c'est la koffar qui endoctrine en fait... Et Chaïda répète :

– Oui, je sais que c'est moi qui veux mourir...

La koffar est contente ! Elle lui dit qu'elle est en train de redevenir une personne. Décidément, cette Nadia ne connaît définitivement rien à la science de Dieu. On s'en fout d'être une personne, ce qui compte, c'est d'être une créature de Dieu. Et de servir le Créateur.

Là c'est l'égaré qui prend le relais, toujours en colère :

– Tu veux quitter ta mère pour mourir et tu imagines vraiment que tu vas aller au paradis ? Mais tu ne sais pas que le Prophète a dit que le paradis se trouve au pied des mères ? Que si on ne se prosternait pas devant Dieu, on se prosternerait devant nos parents ? Que dans la sourate « Al-Isra » verset 23, c'est marqué clairement : tu ne peux pas adorer Allah sans être bon envers tes parents ?

En fait, l'égaré a les larmes aux yeux. Il doit penser à sa sœur. Oui, c'est ça, parce qu'il ajoute, en ayant du mal à parler :

– Depuis que ma petite sœur est partie, ma mère n'arrête pas de faire des allers-retours à l'hôpital. Ça fait dix-sept mois. Tu crois qu'elle va l'emmener au paradis, ça, Norah ? La pauvre, qui croyait sauver les enfants syriens et qui les a vus se faire exécuter... À l'époque, personne ne lui a dit qui était Daesh. Mais vous, vous êtes là, on vous explique leur vrai visage, et en connaissance de cause, vous allez laisser crever vos mères ?

Samy a haussé le ton.

La mère de Chaïda éclate en gros sanglots. Une femme nommée Samia se lève et la prend dans ses bras. Elle a du mal à respirer normalement. Léa sait que c'est un piège du Sheitan. Les frères lui ont appris comment les koffars allaient les éprouver avec les larmes de leurs mères. C'est fait exprès. « Certaines feront même des crises cardiaques pour vous faire rater votre hijra [16]. Et si vous faites demi-tour, vous verrez que ce n'était qu'un piège. Vos mères allaient très bien. C'est le Sheitan qui vous trompe. Seuls ceux qui sont élus résisteront. Les autres retourneront dans les jupes de leurs mères mourir en koffars. »

Mais Chaïda tombe dans le piège. Elle se jette, en larmes, dans les bras de sa mère. L'autre sœur en jilbab pleure aussi et Zahra la rousse la prend dans ses bras. Léa sent les doigts de sa mère s'entremêler aux siens. C'est un geste qu'elles faisaient toutes les deux quand elle était petite. Elle se revoit en train de la supplier : « Laisse-moi tes doigts maman, ne me lâche pas. » Et sa mère répondait : « Jamais je ne te lâcherai. Regarde comme nous sommes liées. »

---

16. La notion de hijra correspond au départ du Prophète de La Mecque pour Médine afin de fuir les persécutions. Les intégristes font croire aux jeunes qu'ils doivent fuir leurs pays respectifs pour rejoindre le « califat » de Daesh, car partout ailleurs dans le monde, ils ne peuvent pratiquer « le vrai islam » et sont persécutés.

L'équipe

– On a réussi à la toucher, génial, déclare Samy quand la salle s'est vidée.

Il est heureux à chaque fois qu'il sauve une jeune. Cela fait plus d'un an que sa sœur de 15 ans est partie, croyant qu'elle s'engageait pour un projet humanitaire. Depuis, elle est séquestrée. Samy survit en s'occupant des autres.

– 60/40, rectifie Clara, toujours là pour tempérer l'exaltation du petit groupe.

En termes de diagnostic, c'est un peu la sage qui pondère les excès. Clara aime son équipe et son équipe le lui rend bien. Elle aime manager. Nadia, très sollicitée par les parents inquiets, par les élus, par les professionnels, par la presse et par des gens qui l'invitent à intervenir à droite et à gauche, court souvent trop vite pour les autres. Clara a tout son temps, aime s'adapter aux différents rythmes, les mettre en synergie pour les transformer en une forte complémentarité et complicité. Bref, rassembler des individus et les transformer en équipe, c'est son truc.

– Léa, c'était la « tête de l'emploi » au début, ajoute Zahra, avant de partir en fou rire.

Zahra trouve toujours un moyen de faire rire l'équipe aux moments critiques. Elle rit quand elle a peur, quand elle est fatiguée, et comme elle est toujours dans l'un des deux états, ça met de l'ambiance...

– Un vrai regard de *serial killer* au féminin, renchérit Fathia.

Dernière arrivée au sein de l'équipe, Fathia est entrée dans cet univers avec aisance. Il faut dire qu'elle était infirmière psy dans ses débuts professionnels.

– Inès et Sarah ont bien avancé, remarque Samia. Et Inès a du mérite, sachant qu'elle retourne au CEF [17]. Elles t'ont suivie à la fois dans tes demandes de témoignages et dans tes interrogations.

Samia a eu sa nièce embrigadée. Une fois qu'elle a appris à la sauver avec l'équipe, elle a voulu sauver les autres.

Stéphane et Vivien, les deux officiers en charge de la sécurité de Nadia, entrouvrent la porte :

– Ça va ? Bon boulot, changement de regard total. Elle nous a même salués. Un vampire est entré, une pauvre fille perdue est sortie. Faudrait faire des photos : avant, après...

– Elle a salué Vivien aussi ? demande Nadia en souriant.

C'est une plaisanterie entre eux. Vivien est d'origine africaine, et personne ne le prend pour un flic. Il est invisible. À la gare, les gens s'adressent à lui comme si c'était l'homme de ménage. Les rares fois où Nadia entre encore dans un magasin, on le prend pour un vigile. Deux jours plus tôt, alors qu'ils se trouvaient au service éducatif d'un conseil général pour faire le point sur un jeune, elle avait eu honte et avait bouillonné de colère : la secrétaire avait demandé à Vivien pour quel dossier il était convoqué... À chaque fois, il doit sortir son insigne et

---

17. Centre éducatif fermé, sous placement judiciaire du juge pour enfants ou du juge antiterroriste.

murmurer très dignement : « Service de sécurité des personnalités, je protège madame. Madame a régulièrement envie de faire un scandale : on n'a toujours pas compris qu'on pouvait être noir et français ! » Mais comme Vivien vient de la qualifier de « personnalité », elle doit se retenir, histoire de ne pas lui faire honte.

– Oui, même moi, répond-il. Elle doit voir dans mes yeux que je m'inquiète pour vous. Mon taux de mélanine ne l'intéresse pas.

Tout le monde s'installe à nouveau autour de la table pour reprendre à chaud les grandes lignes de l'échange avec Léa et ne rien oublier dans le futur compte rendu.

La jeune fille s'est mise à parler d'un coup, les mots sortant aussi vite que ses larmes, comme si elle sentait qu'elle allait se rétracter. Au départ, elle n'avait manifesté aucune émotion. Pas le moindre plissement du visage... Deux heures s'étaient écoulées pendant que les autres filles livraient leur témoignage. Nadia et l'équipe n'y croyaient plus. Et puis, quand Inès, qui se fait appeler Chaïda, était tombée dans les bras de sa mère, la magie de l'inconscient humain était entrée dans la course.

Avant, l'équipe avait passé des heures à encourager les parents de Léa : « Parlez-lui de ses souvenirs d'enfance, ramenez-la dans les lieux qu'elle aimait, refaites les gestes de quand elle était petite... Elle va d'abord vous rejeter, mais ce n'est pas grave. Cela va laisser une trace dans sa mémoire. Elle sera obligée de se rappeler que vous êtes ses parents, ce que Daesh veut lui faire oublier ! Ils lui font miroiter qu'elle appartient à une nouvelle famille sacrée qui va vous remplacer. » Les parents de Léa y avaient mis tout leur cœur : Paul avait passé des soirées à s'imposer auprès de sa fille, lui caressant tendrement les cheveux comme des années auparavant, lui chantant les mêmes berceuses que lorsqu'elle avait 2 ans. Marie avait fait des agrandissements des photos de ses premières années, retrouvé leurs recettes et leurs chansons préférées...

Lorsqu'Inès avait enlacé sa mère, Léa avait changé de visage. Les larmes l'avaient submergée, et c'est alors que l'équipe avait aperçu leurs doigts entrelacés. Marie lui avait pris la main comme quand elle était petite, pour traverser la rue... Et Léa était redevenue elle-même, le temps de tout raconter : « Comme je voulais faire médecine, ils m'ont dit de venir m'occuper des enfants gazés par Bachar al-Assad et m'ont montré des sales vidéos où les gosses voyaient leurs parents se faire écraser sous leurs yeux...

« Petit à petit, j'ai commencé à m'enfermer dans ma chambre pour ne parler qu'avec eux, parce qu'ils me disaient : "Tu ne dois pas obéir à tes parents car ils ne respectent pas Allah. Tu ne dois pas respecter la France car ce pays a des lois qui ne sont pas celles d'Allah. Tu ne dois plus parler à tes amis car ils n'ont pas ton discernement. Tu ne dois plus aller au lycée car les profs sont payés pour t'endormir." Comme ils me répétaient tous le même discours, je pensais qu'ils disaient vrai. J'y croyais à fond ; je n'avais aucun doute. Quand mon père a vu les vidéos sur mon ordi, ça ne m'a pas calmée, au contraire. J'avais la haine. Ils m'ont dit que mon père n'allait pas comprendre, qu'il allait essayer de me raisonner, de me mettre le doute, par jalousie. C'est exactement ce qu'il a fait. Il a commencé par me dire que l'islam c'était pas ça. Quand je leur en ai parlé, ils m'ont dit : "Pour toi c'est mort, tes koffars de parents vont te signaler à la frontière, tu vas être coincée dans ce pays de chiens galeux". J'avais la haine... Mes parents m'empêchaient de rejoindre la terre sainte... donc le paradis. J'étais prête à tout pour y aller, de n'importe quelle façon.

« Ils étaient au moins cinquante à me parler tous les jours depuis la France, la Belgique, ou de là-bas, au Sham. Ce sont des femmes qui m'ont dit d'actionner ici [18]. Elles m'ont juré que c'était le seul moyen de sauver mon âme. Elles ont vite su que je savais tirer. Je leur ai dit que j'allais aux exercices de tir avec mon père. Il est pompier mais il s'exerce aussi au tir. Alors il y en a une qui m'a dit de prendre mon temps, de laisser passer l'été. Je devais leur faire croire que j'avais changé. J'ai serré les dents et j'ai mis des vêtements de koffar, j'ai bu comme les koffars, j'ai ri comme les koffars, j'ai parlé comme les koffars. J'avais rendez-vous, tout était prévu. Et puis les flics ont débarqué chez moi.

« Peut-être que je n'aurais finalement tué personne en arrivant dans la synagogue. Peut-être que je me serais laissé tuer sans tuer personne. Je ne voulais pas de gilet pare-balles. Ils me l'ont proposé, mais je n'en voulais pas. Je voulais être tuée à bout portant par les flics. Mais j'aurais épargné les enfants. »

Nadia avait longtemps insisté sur cette histoire d'épargner les enfants. Elle voulait comprendre s'il restait quelque chose d'humain chez Léa à ce moment-là. La jeune femme avait répondu : « Ils m'ont dit que Merah n'avait pas tué les enfants de l'école juive de Toulouse et que c'était le ministre de l'Intérieur, allié des illuminatis sionistes, qui avait commandité ces meurtres pour que les Français détestent les musulmans. Donc faire un attentat à la Merah, c'était juste tuer les juifs adultes. » Nadia avait insisté : faisait-elle exactement ce qu'ils disaient ou

---

18. Agir ici.

pensait-elle qu'un enfant restait un humain même s'il était juif ? Elle tentait d'évaluer si Léa exécutait les ordres ou si elle ressentait encore quelque chose. Ce n'était pas facile.

Léa pleurait tellement que tout le monde l'avait embrassée. Elle s'était blottie dans les bras des femmes, et avait même embrassé Samy. Nadia savait qu'elle aurait maintenant du mal à les quitter. Pendant un temps, l'équipe allait devenir son nouveau groupe, mais ce nouveau groupe devait lui apprendre à penser par elle-même. L'écoute du mécanisme de radicalisation faisait toujours cet effet-là : le jeune redevenait un peu humain à ses propres yeux en prenant conscience des conditionnements qu'il avait subis. Les fils invisibles des prédateurs, comme les appelaient les parents, devenaient progressivement visibles. Mais le retour au monde réel n'était pas facile. Léa aurait-elle la force d'atterrir ou retournerait-elle se dissoudre encore avec ceux qui avaient voulu l'attraper ? Elle s'était accrochée à sa mère en partant, c'était déjà ça...

L'équipe a rangé la salle et s'apprête à sortir. Stéphane est déjà campé de l'autre côté du trottoir. Vivien est positionné un peu plus loin. Ils ont l'air de regarder le paysage mais sont en fait en alerte, la main droite prête à saisir leur arme. C'est un mystère pour Nadia. Comment ses officiers savent-ils exactement quand l'équipe va bouger ? Ils anticipent toujours tout, comme s'ils fonctionnaient par télépathie. À chaque mouvement, ils scrutent l'horizon pour maîtriser l'environnement. Gare à celui qui passe deux fois devant Nadia, ils le repèrent tout de suite. Ils ont même des yeux derrière la tête.

Clara, Zahra, Samia, Fathia et Samy se sont formés eux-mêmes sur les questions de sécurité. Quand ils se séparent après un groupe de parole ou une séance de désembrigade-ment, chacun reste en observation. Personne ne peut rentrer chez lui en sifflotant. Ils ont acquis les réflexes indispensables : ne jamais discuter sur un trottoir, ne jamais prendre le même chemin pour rentrer chez soi, vérifier de ne pas être suivi, payer en liquide dans son quartier, ne pas se faire livrer, réserver les chambres d'hôtel sous un faux nom, etc.

Lors d'un comité de pilotage interministériel, les conseillers de tous les ministères avaient demandé à Nadia les critères d'embauche des membres de son équipe. Elle leur avait répondu honnêtement :

En numéro un, le mental. Pour travailler contre l'embriga-dement de Daesh, il faut savoir marcher sans trembler. Pour ça, il faut avoir quelqu'un de sa famille qui a été touché. Il faut déjà avoir combattu la terreur. Presque tous les membres de l'équipe provenaient donc de familles qui avaient eu à lutter contre l'emprise de Daesh sur un des leurs. Au départ, elle avait pris un bac + 6 hypermotivé qui avait postulé trois fois. Il n'avait tenu qu'une semaine, terrassé par les cauchemars et les angoisses.

En numéro deux des critères de sélection, la modestie. Celui ou celle qui pense savoir est hors-jeu. Il faut accepter chaque jour de se laisser questionner, d'expérimenter, de vérifier, et de réajuster. Là aussi, les bac + 6 n'étaient pas les plus faciles. Chacun voulait que la résolution du problème vienne de sa discipline. Impossible : il fallait savoir mettre en synergie la psychologie, l'histoire, la psychanalyse, la sociologie, l'anthro-pologie, la théologie, les sciences de l'éducation, sans oublier de faire preuve de créativité, de réflexivité, d'adaptabilité et de savoir gérer une bonne dose d'adrénaline.

À présent, Nadia sait qu'elle a une équipe de choc. Quand ils entrent chez une famille, pas besoin de se parler. Chacun prend sa place et tient son rôle. Liés comme les cinq doigts de la main, dirait Sarah.

Nadia

Ce soir, Nadia est fatiguée. Zahra l'appelle, en pleurs. Son mari l'a menacée. Elle frôle la schizophrénie. « Je sauve la vie des enfants de mon pays et mon pays ne protège pas ma fille » répète-t-elle, en reniflant entre deux sanglots. Nadia comprend ce que vit Zahra. Elle se trouvait exactement dans la même situation trente ans en arrière. Mais comment lui rappeler que ce qui ne tue pas rend plus fort ?

Le second mari de Nadia était du même acabit. C'est avec lui qu'elle avait fait connaissance avec la terreur. La porte d'entrée de Nadia s'abattait régulièrement par terre, les fenêtres volaient en éclats, sa voiture explosait dans son garage... Cela arrivait d'un seul coup. Si elle appelait la police, son mari passait aux menaces. Sa préférée faisait encore trembler Nadia des années après : « Tu vivras toute ta vie les volets fermés ». Une allusion aux portes et fenêtres qu'il enfonçait violemment, sans même sentir le verre. Il était devenu fakir. Depuis, Nadia voulait habiter en haut d'une tour. Il avait aussi l'habitude d'écrire « Tu es le diable en personne », puis « Pardon mon ange, je t'aime tant » sur chaque nouvelle porte d'entrée que Nadia passait son temps à remplacer, à coups de crédits *revolving*.

Il était devenu violent au moment où elle portant sa fille Clara dans son ventre. Pourtant, Dieu sait qu'il le voulait ce bébé. Avec Nina, la première fille de Nadia, il se maîtrisait. Peut-être parce qu'il savait que son père était mort. Mais la perspective de se reproduire l'avait fait imploser. Nadia avait redoublé d'attention envers lui, mais rien ne s'améliorait. Plus elle faisait des bons petits plats, plus il les éclatait au sol. Plus elle cherchait à le comprendre, plus il la rabaissait. Quand elle reculait d'un pas, il revenait à la charge. Plus elle lui laissait d'espace, plus il l'envahissait. Les crises s'enchaînaient. Entre deux, il s'excusait, pleurait, ou restait prostré pendant des heures. Jusqu'à ce qu'elle le soigne, le câline, le berce, et surtout l'excuse... Car Nadia avait mal au cœur pour lui. Il avait peur qu'elle ne le quitte, il ne comprenait pas, il allait changer, il promettait de ne pas recommencer, c'était le stress, les nerfs, etc. : « Tu as ma vie entre tes mains, tu es tout pour moi, tu me rends heureux, tu crois en moi. » Chaque fois qu'il recommençait, il lui expliquait que c'était parce qu'elle avait dit ceci ou cela, fait tel ou tel geste, eu ce regard plutôt qu'un autre... « Tu as ma vie entre tes mains, tu es tout pour moi, tu me rends malheureux, tu ne crois plus en moi. » Alors Nadia restait sans cesse concentrée. Mais moins elle voulait le heurter, plus elle le rendait dingue. La logique de son mari était simple : c'était tout blanc ou tout noir.

Il se mettait parfois à hurler tout d'un coup qu'elle et ses filles n'étaient « que des sacs de merde ». Cela pouvait arriver lors d'un repas, à n'importe quelle heure de la journée, mais aussi pendant la nuit. C'était le pire. Au moment où Nadia était le plus détendue avec son bébé apaisé au fond de son ventre, soudain, elle percevait des mouvements brusques à ses côtés. Tony commençait par avoir des soubresauts dans son sommeil, et émettait de drôles de sons. Cauchemars ou somnambulisme ? Il fallait vite se mettre à l'abri, le plus près possible du bord du lit, et faire la morte. Au bout de quelques minutes, il bondissait en vociférant, sortait de la pièce et attaquait le mobilier. Une bibliothèque par-ci, une table par-là... Nadia ne devait pas broncher. Puis il finissait par enfiler un jean et par quitter l'appartement en claquant la porte. Mais lorsqu'elle voyait la petite poupée vietnamienne que sa grand-mère lui avait ramenée de son dernier voyage et à laquelle elle tenait tant voler au travers de la pièce, Nadia ne pouvait s'empêcher d'ouvrir la bouche pour émettre un son ou d'avancer sa main pour tenter de...

Grosse erreur. Immédiatement, il se retournait et s'abattait sur elle.

Il ne s'agissait pas du tout du type de violence raconté dans les films, où les hommes s'acharnent sur leur femme. Non, Nadia ne ramassait qu'un seul coup, puis Tony se figeait et tournait les talons, comme revenu à la réalité. Et s'enfuyait. Comme s'il avait peur de lui-même. Ne restait alors qu'une mare de sang autour de Nadia, et le silence. Et la blancheur du visage de Nina, qui descendait de sa chambre et appelait les secours. C'était la fille qui sauvait sa mère.

À l'époque, Nadia avait acheté le premier téléphone portable qui venait de sortir, un immense truc d'au moins trente centimètres, avec une antenne de la même longueur, qui pesait une tonne dans son sac à main. Il fallait que la nourrice, la maîtresse, la voisine, sa mère, les HLM, les flics et le Samu puissent la joindre d'urgence. Et surtout qu'elle puisse les joindre d'urgence. Deux jours après l'audience de non-conciliation, Tony était allé chercher Clara chez sa nourrice en dépit de l'interdiction :

– C'est pour te montrer que personne ne me commande à part Dieu.

Nadia avait compris qu'il était en train de se construire un monde à lui. Ce n'était pas vraiment lié à la religion, mais à sa recherche de toute-puissance. Il n'évoquait Dieu que pour s'approprier son autorité et passer au-dessus de la loi des hommes. C'était clair, puisque le référé lui interdisait de mettre un pied dans le quartier.

Il avait posé le couffin à terre et avait ajouté :

– Si tu veux la revoir, il faut te calmer et ouvrir ton cœur, parce que je t'aime comme personne ne t'aimera.

Là, il avait ouvert sa veste et lui avait montré une arme : un gros flingue.

– C'est pour toi, pas pour elle. Elle, j'ai une grande famille qui s'en occupera. Toi, tu fais partie de moi. On va mourir tous les deux, ensemble. Comme ça, on recommencera à zéro au paradis.

Ce jour-là, d'un seul coup, Nadia avait enfin compris que ce n'était pas de l'amour. Il ne pouvait pas y avoir de l'amour si elle n'existait pas à ses yeux. Or, elle n'existait pas : elle faisait partie de lui, elle était son truc à lui. Sa chose.

Dès qu'il était parti, elle avait téléphoné à sa mère. Elle voulait quitter sa ville, partir au bout du monde, fuir, déguerpir, au sens du dictionnaire : *se sauver*. À l'autre bout du fil, sa mère l'avait rappelée à l'ordre : elle venait d'être admise au concours d'éducatrice du ministère de la Justice. C'était ça, sa destination. C'est vrai que Nadia avait été reçue dans les premières. Elle devait demander un changement de lieu de stage, pour ensuite déménager. *Il fallait se raisonner. Ne pas paniquer.*

Nadia avait pris rendez-vous avec son chef pour connaître les détails administratifs car c'était officiel : elle était éducatrice. Elle avait dormi avec ses deux filles dans son lit, serrées les unes contre les autres. Le lendemain, entre midi et deux, elle était partie chez le notaire pour faire un testament d'adoption pour ses deux filles. En sortant, elle avait acheté une arme. Le vendeur lui avait dit :

– Ce flingue pourrait immobiliser un éléphant ! Faut pas tirer de près sinon vous pouvez tuer quelqu'un. Mais vous avez de la chance, je peux encore le vendre sans licence.

Elle l'avait payé, là, tout de suite, ainsi que les munitions. Il lui avait montré comment rentrer les balles dans le chargeur, comme à la télé. Son sac s'alourdissait : elle avait un gros téléphone et un gros flingue.

Le lendemain, Tony avait encore rapté Clara chez la nourrice. Nadia l'avait croisé en bas. Il lui avait murmuré :

– Regarde-la bien, tu ne la reverras plus.

Et il avait continué son chemin avec le couffin en lui tournant le dos. Il n'y avait personne. Nadia avait sorti son gros flingue et avait tiré. Elle n'avait pas peur, elle était programmée. Elle avait visé les jambes, comme une pro. Sans un battement de cœur. Sans transpiration. Comme si ce n'était pas elle. Tony avait lâché le couffin en hurlant. Nadia s'était précipitée, l'avait ramassé et avait regagné sa voiture en courant. Au bout de la rue, elle avait appelé sa mère :

– Je dois partir maintenant. Appelle du renfort, dis-leur qu'il est armé, il faut se faire escorter. On s'en va.

Là, uniquement là, ses jambes avaient commencé à trembler.

Le soir même, Nina, sa fille aînée, n'avait pas eu le temps de dire au revoir à ses camarades. C'était le jour de ses 8 ans. À la sortie de l'école, Nadia lui avait dit : « On déménage. » La petite avait embrassé ses copains, ils avaient échangé des figurines.

Nadia avait mal partout. Elle évitait de regarder sa fille, elle avait tellement honte...

Sa mère était arrivée avec sa bande d'amis. Tous ceux qui avaient milité avec elle les années précédentes pour l'Union de la gauche, quand Nadia était petite. Ils étaient au moins six, avec trois camionnettes. Le plus petit, agent de maîtrise chez Renault, dirigeait les opérations. Deux profs de sport portaient les meubles. Les autres emballaient le reste dans des sacs et des cartons. Nina et Clara dormaient. Nadia, elle, hallucinait : elle quittait sa ville, sa vie. On dit que la fuite donne des ailes, mais elle se sentait très lourde. Ce n'était pas son choix : elle n'avait pas le choix.

À 5 heures du matin, tout était chargé. Les meubles partaient au garde-meubles. Sa mère les avait installées à Lyon, à l'hôtel Campanile. Forcément, Nadia n'avait pas encore d'appartement. Elles y étaient restées toutes les quatre. Nadia serrait son flingue sous son oreiller. Le lendemain, elle attaquait sa formation théorique. Le premier module était : « Équilibre du petit enfant, les bases familiales ». Nina lui avait dit doucement : « Ça va aller maman. »

Comment rassurer Zahra ? Comment lui dire que la vie est toujours plus forte que la mort ? Que c'était grâce à la résistance qu'elle avait osé opposer au radicalisme de Sophian, son mari, qu'elle sauvait des vies ?

Aïda

Une heure après l'échange avec Zahra, une femme appelle Nadia. Elle est médecin et prétend que sa fille Aïda a réussi à s'enfuir de chez Daesh. En fait, ce n'est pas vraiment un retour, c'est plutôt une escale : la petite avait besoin de soins médicaux en France ; elle compte bien repartir.

La mère raconte qu'elle avait coupé les ponts avec sa fille quand celle-ci était partie en Syrie. Mais lorsqu'elle avait entendu une interview de Nadia, elle avait compris qu'elle faisait tout de travers si elle voulait que sa fille revienne... Elle lui avait alors envoyé sur son compte Twitter des photos de quand elle était petite, des recettes, des chansons. Aïda s'est montrée réceptive et elles ont parlé cuisine pendant des semaines. Le lien se reconstruit mais paradoxalement, la mère en souffre :

– Vous vous rendez compte, ma fille part chez les terroristes et me demande combien de millilitres de crème fraîche elle doit mettre dans son gâteau ? Je préférais encore ne pas avoir de nouvelles...

Là, Aïda est aujourd'hui sortie de l'hôpital et se repose chez ses parents.

– Pour combien de jours ? Je l'ignore..., se résigne la mère. Dès son réveil de l'anesthésie, elle nous a dit qu'elle voulait rentrer chez elle... « Chez elle », vous imaginez ?

Lorsqu'elle raccroche, Nadia appelle l'équipe pour qu'ils planifient une visite rapide à Trappes, chez les parents d'Aïda. Le programme du lendemain n'est pas chargé : une réunion et une dizaine de familles à appeler. C'est presque relâche : aucun groupe de parole, aucune séance de désembrigadement ne sont programmés. Elle ne sait pas très bien ce qu'ils vont faire, mais elle se dit qu'ils ne peuvent la laisser repartir sans rien tenter. Pour une fois qu'une fille sort de Daesh vivante, il faut la rencontrer. Au moins pour comprendre comment elle a pu s'exfiltrer sans avoir un homme à ses côtés. C'est entendu : tout le monde se retrouvera à Trappes au pied de l'immeuble. Zahra et Fathia seront voilées, histoire de faire du lien avec l'univers niqabé d'Aïda.

Les officiers passent prendre Nadia avec la Mégane. Aujourd'hui, Stéphane est accompagné de Mickael, un officier nouvellement formé, toujours très juste, clairement investi dans sa mission. Vivien est en congé. Installée à l'arrière, elle ouvre son ordinateur pour relire les notes qu'elle a prises pendant la conversation téléphonique avec la mère d'Aïda. Cette dernière a précisé que sa fille est amoureuse d'Adam, un jeune Niçois qui faisait des petits boulots à Paris. Le garçon, à peine plus âgé qu'elle – 18 ans tout juste –, est censé occuper un poste d'informaticien chez Daesh. Mais la mère ne sait pas trop s'il fait vraiment de l'informatique ou s'il est rabatteur. Aïda et lui sont partis ensemble un samedi soir, prétextant une soirée au ciné. Le lendemain, ils étaient déjà en Syrie. Les parents du jeune homme sont musulmans pratiquants, contrairement à ceux d'Aïda, qui sont athées. « Encore une famille que la police va compter dans les statistiques des musulmans », grommelle Nadia. Elle est la seule à demander leurs convictions aux parents... C'est interdit, mais elle ne voit pas pourquoi elle mettrait dans la catégorie « musulmans » de son bilan des familles athées sous prétexte qu'elles ont un nom typé.

Aïda serait plus radicalisée que son compagnon. « Il faut entendre les énormités qu'elle sort », avait soupiré sa mère. Ses premiers pas vers la radicalité avaient été discrets. La mère n'avait rien vu. Elle était plutôt focalisée sur le fait que sa fille choisisse un garçon qui refuse de faire des études. Aïda avait aussi rejeté le lycée le deuxième jour de sa seconde. La mère avait tout essayé : la raison, l'encouragement, le chantage, la menace, la compréhension, etc., rien n'avait fonctionné. Aïda était têtue comme une mule. Elle se distinguait de sa sœur, qui en était à sa quatrième année de médecine, prenant ainsi la suite des parents. « Peur de ne pas être à la hauteur », avait analysé le père. Il avait cherché à la valoriser jusqu'à ce qu'elle trouve sa voie. Et puis voilà, hop, elle avait disparu.

La voiture ralentit et Nadia entend Stéphane régler leur arrivée au téléphone avec ses collègues. Il y a toujours plein de policiers en civil qui s'installent sur les lieux avant eux. Stéphane a beau être impassible, elle commence à le connaître et sait qu'il est inquiet. Il répète : « Comment ça, un HLM ? Ce n'est pas possible, ils sont médecins. » Puis il se retourne vers elle :

– Comment se fait-il que cette famille habite en haut d'un HLM ?

Nadia ne sait pas quoi répondre à cette question. Stéphane reprend son téléphone : « Comment ça, pas de sortie à l'étage ? Il y a bien un escalier ? Ah... Un seul escalier... S'ils arrivent par là, ils nous bloquent ? Un coupe-gorge, vraiment ? Je vois avec madame. »

Ce n'est pas la première fois que l'équipe débarque à domicile dans un quartier dit « sensible ». Mais là, Stéphane trouve que l'endroit est louche pour des parents médecins et craint le guet-apens. Nadia sent qu'il peut prendre la décision de faire demi-tour. Pour mieux juger de la situation, elle repense et se concentre sur les communications échangées avec la mère. Peut-elle être une « fausse mère » ? Nadia décide que non. Elle doit se faire confiance. Aïda existe, ses parents souffrent. Elles n'ont parlé que de Daesh, pas du choix de leur quartier... Nadia appelle l'équipe, déjà en place devant les boîtes aux lettres. Aucun sentiment de panique. Ils sont prêts. Nadia connaît leur sixième sens. Elle rassure Stéphane, qui demande une deuxième brigade de civils. Il annonce à Nadia qu'ils vont aujourd'hui entrer chez Aïda avec l'équipe, sur un ton qui dit clairement : « vous ne me ferez pas changer d'avis, c'est plus que risqué ». Ce n'est pas dans l'intention de Nadia, qui lui fait entièrement confiance quant aux décisions qu'il prend. Elle sourit aux deux officiers :

– Bien volontiers, mais préparons-nous : je ne vais pas m'entretenir avec une terroriste barbare et sanguinaire, je vais voir une pauvre ado embrigadée par des salauds. Donc on garde le regard empathique, on imagine que cela pourrait être notre nièce, notre cousine, etc.

Stéphane lève les yeux au ciel :

– C'est ça, oui, ma cousine...

– Il ne faut pas qu'elle vous sente aux aguets. Daesh ne recrute que des filles hypersensibles...

Mickael sourit :

– OK. On fait partie de votre équipe, on est des éducateurs de rue bénévoles, ou des sociologues en herbe si vous préférez. Personne ne verra qu'on est flics.

En finissant sa phrase, il réajuste sa chemise et sa veste de façon à dissimuler son imposant Glock 26 qui dépasse. La première fois que Nadia avait vu les armes des deux hommes en charge de sa protection, c'était dans les coulisses d'une émission télé. Ils avaient une bonne heure d'attente avant son passage sur le plateau et elle luttait contre le sommeil. Il faisait tellement chaud que les policiers avaient fini par ôter leur veste, et leur attirail était apparu. C'était autre chose que le pistolet qu'elle avait acquis dans son ancienne vie... Du coup, pour la première fois depuis de longues années, elle s'était vraiment sentie en sécurité, avait posé sa tête sur le fauteuil et s'était endormie profondément.

Nadia prend l'ascenseur avec Stéphane pendant que Mickael monte les huit étages à pied, et attend le reste de l'équipe. C'est la mère qui ouvre la porte. Clara, Samy, Fathia et les autres enlèvent leurs chaussures avant de s'installer sur le tapis du salon. Stéphane et Mickael hésitent et les gardent, s'installant sur une chaise à l'extérieur du tapis, près de la porte d'entrée. Nadia imagine bien ce qu'ils se disent : difficile de la porter ou de courir pieds nus.

Aïda arrive en jean, chemise longue et ample et foulard, et embrasse toutes les femmes. Personne ne s'attendait à cet accueil. Nadia voit que Clara la serre dans ses bras. Elle sait que ce n'est pas que pour transmettre de la chaleur humaine : elle vérifie aussi qu'Aïda ne porte pas de ceinture d'explosifs. Depuis quelques semaines, le bruit court que ce type de produits circule sur le sol français... La mère a préparé du café et des petits gâteaux. Le père est là sans être là, on dirait qu'il vient de prendre un tube de somnifères. Nadia a l'habitude. Dans la plupart des familles qu'elle accompagne, les mères se révèlent plus fortes à cette étape du combat. Nadia avait décidé d'aborder Aïda en la faisant parler de son mari, puisque c'est le seul lien humain qui semble la relier au monde réel. Mais cela n'est pas nécessaire. La jeune fille commence à raconter d'elle-même pourquoi et comment elle vit là-bas d'un ton léger, en trempant délicatement d'une main ses lèvres dans sa tasse de café en faïence blanche, son iPhone 6 Plus dans l'autre.

C'est alors « Aïda au pays des merveilles de Daesh »... Elle décrit Raqqa [19] comme le 16ᵉ arrondissement de Paris, un lieu où l'on vit en totale sécurité et où l'on trouve tout ce que l'on veut, notamment les meilleurs jus de fruits frais, pleins de vitamines. Certes, elle sait que certaines exactions sont commises, que parfois des têtes coupées sont plantées sur des pics au milieu de la place, juste en face du marchand de légumes, mais Aïda ajoute que chaque révolution produit malheureusement des excès. Il faut regarder le positif : le chauffage, les soins, l'école et la nourriture sont gratuits. Certes, plus personne ne possède ses papiers d'identité, récupérés par les recruteurs dès le premier jour, mais en arrivant son mari a demandé au mahkama [20] la carte de l'État islamique [21], ce qui a beaucoup plus de valeur. Il est également inscrit sur la liste de ceux qui veulent devenir des martyrs et a été sélectionné, au bout de la troisième tentative. Aïda n'explique pas clairement en quoi consiste la sélection pour mourir en martyr. Mais visiblement, elle en est fière.

Toute l'équipe a la bouche ouverte, officiers compris (bien que la main droite toujours en suspens). Personne ne dit mot.

---

19. Ville au centre de la Syrie, devenue le fief de Daesh.
20. Tribunal islamique.
21. Daesh a d'abord distribué des « cartes », attestant de la fidélité de ceux qui lui font allégeance. Puis ils ont fabriqué un passeport *« Dar el islam »*.

Aïda parle toute seule, comme une grand-mère qui raconte une histoire à ses petits-enfants un peu niais. Maintenant, elle évoque les rondes de son mari qui rentre chez les voisins tous les matins pour vérifier qu'ils ne possèdent pas de cigarettes. Elle décrit ensuite longuement leurs deux petits chats [22]. Elle trouve « trop mignon » que son mari aime rouler à moto avec le chaton roux dans la poche. Aïda précise que c'est une référence à Abou Hourayra, compagnon du Prophète (Paix et Bénédiction sur Lui), qui avait deux chatons : un dans sa manche et un sur lui. D'ailleurs, tout Raqqa appelle son mari Abou Hourayra. Seul bémol dans le paysage idyllique peint par Aïda : le maqar [23], où sont parquées les femmes à l'entrée de chez Daesh. L'émir qui commande ce maqar lui a manqué de respect et elle ira se plaindre au mahkama en rentrant en Syrie.

D'habitude, la méthode de l'équipe consiste à faire prendre conscience au jeune du décalage entre les promesses de Daesh et leur réalité. Mais voilà une jeune fille toute mignonne qui leur raconte qu'elle boit des jus de fruits en passant devant des têtes coupées et qu'elle aime son mari parce qu'il s'est inscrit sur la liste des martyrs. À ses yeux, même ce jeune garçon qui semble pourtant être son seul lien humain n'existe pas vraiment : il n'est en fait qu'un symbole sacrifié pour servir l'idéo-

---

22. En islam, le lion est un symbole de protection : le Prophète est donc assimilé à cet animal car il protège la « maison de Dieu » à La Mecque et protège les musulmans. Daesh transmet l'idée que comme les musulmans sont tous persécutés dans le monde entier, leurs membres sont les lions qui protègent les musulmans en construisant le nouveau califat. Le chat est utilisé comme une réplique miniature de cette symbolique.

23. Maison où sont enfermées les femmes au niveau de la frontière, dans des conditions hygiéniques difficiles, et dont elles ne peuvent sortir qu'en étant mariées.

logie de Daesh. Elle le réduit à un objet. En fait, elle l'aime parce qu'il va disparaître. C'est la définition du mot « martyr » en arabe : *chahid*, « mort-vivant ».

L'équipe sort de l'appartement sans mot dire. Mais Nadia, malgré la volonté des officiers de quitter le quartier au plus vite, a besoin d'échanger avec Clara et les autres. C'est dur de se retrouver face à une jeune adolescente qui ne ressent plus rien devant la mort. Aïda est proche de l'âge que Nadia avait quand elle a perdu son premier mari. Elle revoit encore ce matin d'hiver où il était entré à l'hôpital pour un examen, lui, le montagnard toujours en pleine forme. Le lendemain, une grappe de docteurs en blanc s'était avancée vers elle. Le chef l'avait regardée droit dans les yeux et avait prononcé distinctement : « Votre mari a un cancer. Mal placé. Très mal placé. Dans le cerveau. Une grosse tumeur. Très grosse. Au moins 5 centimètres. On ne peut pas opérer. Il est jeune, ça va aller vite. Au mieux, il vivra jusqu'à l'été. »

C'était la semaine de ses 20 ans. Elle allait se retrouver veuve à 20 ans.

Elle s'était jetée sur le toubib et lui avait arraché un ciseau qui dépassait de sa poche. Ils avaient fait mine de croire qu'elle voulait se suicider, mais c'était lui qu'elle voulait réduire à néant, pour qu'il se taise. Comment pouvait-il lui annoncer que sa moitié allait disparaître ? Il n'était pas que son mari, il était aussi le frère, le père, le grand-père qu'elle n'avait pas eus.

Trente ans plus tard, en sortant de ce HLM, deux images s'imposent encore à elle : les yeux brillants de l'homme qu'elle aime, son corps déformé. En deux mois, il ne restait plus rien de lui. La cortisone avait tout gonflé. Il avait perdu ses formes, son regard, son odeur, sa bonté, son humour. L'odeur, c'était le plus dur. Sans son odeur, elle ne le reconnaissait pas. Son cancer avait envahi tout son cerveau. Il ne voyait plus et il n'entendait plus. Il était déjà parti alors que son cœur battait encore. Ce n'était plus lui. Impossible de lui tenir la main, de lui dire seulement adieu.

Nadia éprouve à nouveau la sensation de vertige qu'elle avait ressentie. Elle avait 20 ans et se sentait seule au monde parmi les autres humains, comme une paraplégique oubliée au milieu d'acrobates. Elle s'était agrippée à sa première fille Nina, pour ne pas tomber en chute libre. C'était son existence qui lui avait sauvé la vie : un biberon après l'autre, ses premiers pas, ses premiers mots, le temps s'était écoulé, jour après jour... Habiter l'univers n'avait plus de sens. Pour lutter contre le gouffre, Nadia s'était également immergée dans son travail. C'était comme un dédoublement de personnalité : une partie d'elle travaillait pour rester dans un monde logique et raisonnable, rythmé par des rituels auxquels elle s'accrochait, une autre s'effondrait dans le néant. Quand elle rentrait le soir, ses deux morceaux étaient obligés de se rassembler pour faire face au quotidien. L'immobilisme, c'était une petite mort. Pour se sauver, il fallait *faire quelque chose* : les devoirs, la préparation du repas, la douche, les discussions sur la journée, l'histoire du soir, son propre travail à préparer pour le lendemain matin, etc.

Comment Aïda peut-elle parler de la mort de l'homme qu'elle aime en sirotant son café ? Comment peut-elle percevoir la vie comme quelque chose d'aussi dérisoire ? S'est-elle échappée d'elle-même, si jeune ? S'est-elle échappée du monde, si loin ? Nadia a étudié comment Daesh véhicule l'utopie d'un accès au pouvoir totalitaire par l'acceptation du sacrifice humain. Elle sait que les jeunes embrigadés ne s'émeuvent plus de la mort : le champ de leur conviction recouvre la globalité de leur psychisme et de leurs affects. Mais entre l'analyser dans ses articles scientifiques et être confrontée à une adolescente dont l'humanité a été à ce point ôtée... Nadia aurait voulu la tenir fort dans ses bras pour lui faire sentir ses pulsations, lui faire circuler de l'humain dans le sang, comme on recharge une batterie à plat, ou la secouer très fort pour que le pôle plus et le pôle moins se reconnectent... Dans le salon de cet appartement, le visage vide d'émotions de cette jeune fille toute mignonne était plus éteint que celui d'un mort.

L'équipe s'est installée dans un café. Clara se tourne vers sa mère et, par une sorte de télépathie magique, ramène son attention vers la table du café où ils se sont attablés. Nadia se relie alors aux autres et se laisse emporter dans la discussion. Ils sont tous sous le choc, probablement seuls avec leurs propres fantômes. Ils connaissent bien la mort, la maladie, le kidnapping. Clara fait parler l'équipe, met des mots sur ce qu'ils ont ressenti. Ils passent des larmes aux fous rires. Progressivement, la chaleur humaine reprend le dessus, et, enfin, chacun peut rentrer chez soi.

Hanane

Aïda, de Trappes :
Waou c'est lourd quand même,
je pense que tu devrais maîtriser
ta colère. Car là où tu es, tu y es
pour Allah, et tu dois faire tout ce
qu'il faut pour ne pas emmener
ton mauvais caractère avec toi.
Sinon tu perdras de la valeur. Tu
es une musulmane, tu dois avoir
un comportement de femme
digne. Et chez une femme on
doit voir de la douceur, non la
dureté. Donc sache que c'est
normal que tu sois éprouvée. Tu
n'es pas prête pour ça ?

Hanane, de Raqqa :
Oui mais j'ai changé d'avis, je ne
veux pas me marier maintenant,
c'est tout.

Pour aller au paradis tu dois te
marier, non ? Et tu as dit oui,
maintenant tu vas dire non.
Pourquoi tu changes d'avis ?

À la base, tu sais bien que je voulais pas me marier. Mais le maqar, c'était trop dur.

Au bout de huit jours, j'ai cédé. Ils m'ont donné une liste pour choisir un Français, avec les dossiers, les vidéos que les frères ont faites, mouqatil[24] ou pas.

Umm Aïcha[25] me dit : « Mais pourquoi tu veux pas ? Tu as 21 ans et tu refuses le mariage ? Tu as peut-être des maladies et tu ne veux pas l'avouer ? » Ils m'ont fait une prise de sang pour vérifier.

Quand ils me demandent : « Pourquoi tu rejettes ce frère alors qu'il a besoin d'une femme ? », j'essaie d'esquiver en disant que je ne suis pas assez bien pour lui.

Umm Aïcha m'a dit qu'ils s'en foutaient de ça : « Tu te maries avec lui, après il t'apprendra à devenir une bonne épouse. » Elle me menace d'aller en prison.

Aide-moi Aïda ! Parle à ton mari pour qu'il intervienne.

---

24. « Vaillant combattant ».

25. Les personnes liées à Daesh se font souvent appeler ainsi, avec un nom qui commence par Umm (mère de) ou Abu (père de).

Qu'Allah te préserve et te mène où cela le satisfait. Je ne peux rien pour toi, là. Je suis en face de la bande de koffars de Cazeneuve.

Ceux qui veulent nous désislamiser et nous garder dans ce pays de chiens ? Tu t'es fait prendre ?

Nan suis chez ma mère. C'est elle qui m'a piégée. Je pars cette nuit *inch Allah*.

Tu n'as pas peur de te faire arrêter en ressortant une deuxième fois ? T'es fichée partout.

Si je ne le fais pas par Allah je le regretterai car le Sheitan fait tout pour nous empêcher de faire la hijra. Je place ma confiance en Allah. C'est une guerre entre les croyants sincères et les mécréants accompagnés de faux musulmans qui travaillent à leur solde afin de nous mettre le doute sur cette voie. De toute façon, j'ai la carte d'identité d'une sœur. Allah me protège.

Hanane s'apprête à répondre mais constate qu'elle n'a plus de réseau. Elle rend le téléphone à la sœur étrangère qui a réussi à le cacher et lui a prêté. Une blonde des pays de l'Est dont elle ne comprend pas la langue. Elle a les ongles noirs de crasse.

Hanane a conscience de sa propre crasse, ce qui signifie qu'elle sent vraiment mauvais. Quand on entre au maqar, on est passé au laser détecteur de métaux, comme dans les points Vigipirate de France. Daesh scanne chaque fille de la tête aux pieds et ralentit au niveau du vagin, pour vérifier qu'il n'y a pas de micro caché. Après l'émir [26] récupère tout : le téléphone et les papiers d'identité. Hanane n'en peut plus de cette saleté. Impossible de se laver, ni même de respirer. Pas d'eau, pas d'air, des enfants partout, des cris, des barreaux aux fenêtres...

Hanane n'est pas venue au Sham pour se marier, Aïda le sait bien pourtant ! Elles étaient si proches avant. Elles partageaient le même kunya [27] : Umm al-Banîn [28]. Mais depuis que Hanane est là, Aïda n'est plus comme avant... Elle devrait comprendre quand même ! Elle connaît ses sentiments pour Dylan. C'est grâce à lui qu'elle est sortie de la mécréance. Au départ, elle était anti-Daesh. Elle prétendait qu'ils n'appliquaient pas l'islam. Jusqu'à ce que Dylan lui parle. Il l'avait touchée et elle s'était mise à douter... C'était peut-être la vérité au Sham. Dans son testament, Dylan avait écrit qu'il fallait prendre soin d'elle car il l'avait convaincue... Il était très gentil, la rassurait, lui répétait : « Ne t'inquiète pas, ici on a tellement la baraka [29] d'Allah, c'est une terre bénie, tu ne ressens même pas le manque des parents... » Avec Aïda, elle faisait des blagues : « Ah ! ce Parisien, il me fait rire, il est parti chez Daesh mais

---

26. De nombreux hommes qui commandent un maqar ou un groupe se font appeler « émir ».
27. Pseudonyme.
28. « Mère de fils illustres ».
29. La chance.

il est toujours parisien ! » Et puis Hanane avait été contactée par une sœur sur son Snapchat qui lui avait annoncé que Dylan était déjà marié. Cela lui avait fait mal au cœur et elle avait rompu le contact avec lui. Impossible de s'imaginer avec un mari polygame. Sa foi n'était pas assez mûre.

Hanane entend son nom. Elle aperçoit Umm Aïcha se diriger vers le bureau de l'émir. Ce dernier l'appelle et lui dit de suivre trois sœurs en sitar[30], qui sont venues la chercher.

– Pour m'emmener où ? se méfie Hanane, dont le cœur bat vite.

– Ton destin est dans les mains de Dieu, va chercher ta valise, répond Umm Aïcha.

L'émir ne la calcule même pas. Il est retourné à ses papiers.

Hanane est surprise car personne n'a le droit de sortir du maqar non mariée. Dans la voiture, elle se rassure car l'accueil est chaleureux. Les sœurs lui posent un tas de questions, lui demandent des nouvelles d'Une telle ou d'Une telle. Hanane reconnaît au moins la voix d'une sœur sans parvenir à l'identifier. Elles étaient toutes en contact en France, elles parlaient ensemble depuis des mois. Heureuse et soulagée, Hanane se dit que l'émir a dû faire une consultation[31] et apprendre qu'elle n'est pas venue pour se marier tout de suite. Ils vont l'héberger chez une sœur puis lui donner un appartement. Pourvu qu'il soit proche de celui d'Aïda...

Elles arrivent au pied d'un petit immeuble. Hanane suit les sœurs jusqu'au troisième étage, avec sa lourde valise pleine de niqabs et de parfums qu'elle a ramenés pour toutes les sœurs

---

30. Niqab couvrant non seulement le visage mais aussi les yeux.
31. Une consultation consiste à prendre l'avis de ses pairs.

qui sont parties avant elle. On lui dit qu'elle peut ôter son sitar, aucun homme n'entrera. C'est bien Fatima, de Roubaix, qui mène le groupe. Elle est mariée avec un moudjahiddin important. Hanane est contente de la retrouver et lui offre son cadeau de France : un sitar qui ne se repasse pas, en tissu confortable bleu marine, et une bouteille de Lancôme qu'elle avait demandée. Les sœurs lui montrent ensuite fièrement la dot qu'elles ont reçue à leur mariage, probablement pour lui donner envie. La plus jeune exhibe un revolver avec un canon russe :

– Les autres n'ont qu'un canon turc, c'est nul, le russe c'est le meilleur...

Fatima n'a enlevé que le haut de son sitar. Lorsqu'elle l'ôte complètement, Hanane découvre qu'elle porte une ceinture d'explosifs autour de la taille. Fatima, qui a surpris son regard, explique :

– C'est le top ! Comme ça, si tu te fais attaquer, personne ne peut rien contre toi.

Elle lui montre alors un sac. Hanane, dont le cœur s'est remis à battre fort, essaye de l'ouvrir. Il est tellement lourd qu'elle n'arrive même pas à le bouger. Fatima commente :

– Fais un effort. Porter cette ceinture est obligatoire pour ta sécurité, face à l'armée de Bachar. Il va falloir t'y faire. À moins que tu apprennes le maniement de la Kalach'.

Hanane lui répond qu'elle préférerait une bague comme cadeau le jour où elle acceptera de se marier. C'était pour détendre l'atmosphère mais le visage des trois sœurs se referme. L'alliance, c'est chrétien, voire païen. Cela ne les fait pas rire du tout. Elles lui disent d'aller se doucher, ce qu'elle accepte avec soulagement.

Hanane sort de la salle de bain, drapée dans une serviette et se dirige vers sa valise. Les trois sœurs l'encerclent et la fixent.

– On doit te fouiller.

Hanane rigole :

– Très drôle comme plaisanterie...

Fatima se rapproche :

– Il n'y a rien de drôle. C'est haram [32] de ne pas vouloir te marier. Tu viens sur notre terre bénie pour ramener le vice des koffars ?

Hanane n'en croit pas ses oreilles :

– Mais qu'est-ce que tu racontes ? On a passé des heures à se parler sur Internet... Vous savez toutes que je ne suis pas encore prête à me marier.

Fatima attrape la serviette de Hanane et l'arrache.

– Écarte tes jambes, on va juste mettre un coton-tige pour voir si tu n'as pas de micro, fille d'apostat...

Hanane sent les larmes monter. Elle est nue au milieu de la pièce et va être pénétrée par trois sœurs qui l'ont appelée « ma perle adorée » pendant des mois. Son corps tremble sans qu'elle ne puisse le maîtriser.

– Ça ne marche pas avec nous les larmes.

– Mais de quoi vous m'accusez au juste ?

– Tu nous prends pour qui ? Tu refuses de te marier, tu refuses de t'armer... On a appelé la brigade Al-Khanssaa [33], ils nous diront si on peut t'exécuter, toi la koffar... Comment peut-

---

32. Illicite devant Dieu, contraire de halal.
33. Police féminine de Daesh.

on croire que tu viens faire ta hijra ? Tu portes des jeans troués sous ton sitar ! Tu viens nous espionner, dis-le...

Hanane se demande soudain si l'une des femmes n'est pas l'épouse de Dylan.

Fatima exécute sa vérification de micro sans la moindre considération pour les sanglots de Hanane puis lui ordonne de s'habiller et de passer un sitar. Trois minutes plus tard, la brigade entre dans l'appartement. Là, les sœurs se remettent à parler d'une voix douce :

– Ne t'inquiète pas, on est toutes passées par là, on va t'éprouver, si tu as vraiment la foi, tu sortiras de là, c'est une épreuve d'Allah...

Hanane attrape sa valise, qui est devenue à présent beaucoup plus légère : elles ont pris les autres parfums et habits rapportés pour Aïda. Elle suit la brigade Al-Khanssaa en se disant que tout est mieux que de rester dans cet appartement. Au moins, ces femmes vont écouter son témoignage et la croiront. Une fois dans la voiture, la chef annonce :

– Direction la hisbah.

La hisbah, c'est la police principale de Daesh. Hanane sait qu'ils ont un lieu fermé, comme une prison.

Zahra

Zahra arrive en larmes à leur réunion. Elle n'arrive pas à parler. Son joli visage est tout gonflé. Nadia prend doucement le courrier qu'elle tient dans sa main, s'assoit et le lit à haute voix. La cour d'appel a débouté Zahra qui demandait à ce que son mari radicalisé bénéficie d'un droit de visite avec médiation. Samia, Fathia et Clara la serrent dans leurs bras.

« Sur ce, la Cour,

« Considérant que Zahra C. et Sophian C., tous deux de confession musulmane, se sont mariés en 2009 et ont eu ensemble un enfant en février 2014 ; que Zahra C. à l'appui de son appel fait valoir que Sophian C., déjà musulman pratiquant au début de leur relation, a brutalement basculé dans un islamisme radical en 2012, lui imposant de porter le niqab, l'empêchant de travailler et de sortir, avant qu'elle ne réagisse et se libère de son emprise ;

« Qu'elle soutient que depuis son embrigadement radical, Sophian C. interdit à l'enfant tout livre d'images, tout jouet et peluche à l'apparence d'animaux, qu'il souhaiterait immigrer au Yémen ou en Syrie, dans un pays où la Charia est appliquée, pour que sa fille ne soit jamais en situation de mixité ; Qu'il déchire les photos de famille, coupe la tête des poupées de leur fille ;

« Qu'afin de prévenir l'enlèvement de leur enfant, Zahra C. solli-
cite l'exercice exclusif de l'autorité parentale et la mise en place de
droits de visites médiatisées ;

« Considérant que Sophian C. conteste les affirmations de
Zahra C. et estime que cela relève de sa liberté de conscience
d'élever son enfant dans sa religion ;

« Considérant que Sophian C. jouit en France d'une liberté de
conscience qui lui est garantie par la République et lui permet de
pratiquer librement sa religion ;

« Considérant que l'action de Zahra C. procède d'une inquiétude
basée sur une comparaison de sa situation avec des faits d'actualité d'enlèvements d'enfants par leurs pères vers des pays
étrangers ;

« Considérant que le recours à des visites médiatisées serait de
nature à disqualifier le père auprès de l'enfant ;

« Que Sophian C. a placé en France le centre de ses intérêts
puisqu'il y travaille ; qu'il faut ajouter qu'il ne parle pas arabe,
pas plus que Zahra C. ;

« Que l'enfant est déjà protégé par une interdiction de sortie de
territoire et que l'intérêt de l'enfant consiste à construire avec son
père des relations régulières et épanouissantes ;

« Déclarons débouter Zahra C. et imposons la reprise du droit de
visite et d'hébergement instauré par le jugement précédent. »

Clara éclate :

– Quand tu penses que les pauvres mamans qui portent
un foulard sont harcelées par la France entière, qu'elles sont
interdites de sorties scolaires avec leurs enfants alors qu'elles
sont simplement pratiquantes... Et là, ils sont face à un radicalisé pur jus avec preuves à l'appui et ils s'écrasent... Les
lâches !

Nadia entend l'équipe rebondir :

– Ils ne savent toujours pas faire la différence entre un pratiquant et un radical !

– Forcément, croire que l'islam consiste à couper la tête des poupées, ça correspond à leurs représentations négatives... On est des barbares...

– Ils pensent vraiment que l'interdiction de sortie de territoire de ton bébé va le protéger ? Ils n'ont toujours pas compris que les réseaux de Daesh ont des faux papiers ? Jamais la DGSI[34] ne communique avec les juges ?

– Il n'y a pas que la question de l'islam... Les femmes violentées sont toujours coupables de quelque chose, on en est toujours là...

Nadia ressent un vrai malaise car ce jugement montre surtout le décalage entre les institutions et la réalité. Imaginer que cet homme embrigadé ne partira pas rejoindre Daesh parce qu'il ne parle pas arabe est la preuve de l'ignorance de ces juges. Considèrent-ils encore que le radicalisme est lié à un manque d'intégration de Maghrébins immigrés « trop musulmans » ? Cela lui fait froid dans le dos. Si la magistrature ne se forme pas pour appréhender le processus de radicalité, le reste de la société va en pâtir, à commencer par les musulmans, qui deviendront tous de « potentiels intégristes ». Nadia a bien compris que, pour les juges, couper les têtes des poupées relève tout simplement de l'islam orthodoxe. Finalement, le comportement de l'ex-mari de Zahra correspond aux représentations négatives qu'ils ont « des musulmans », Fathia a raison. Continuer à véhiculer une fausse image de cette religion mène à la fois à la discrimination et au laxisme. Nadia connaît bien la

---

34. Direction générale de la sécurité intérieure.

lenteur des institutions à se former, mais plusieurs bébés arrachés à leur père ou à leur mère par l'autre conjoint radicalisé sont aujourd'hui des otages de Daesh. Maryam Raheïm a publié son livre *Mama est là*, pour raconter la lutte qu'elle a menée pour récupérer sa fille de 11 mois, kidnappée par son père, radicalisé en quelques semaines. L'équipe pensait qu'après ce drame, les juges avaient évolué. Ce jugement montre au contraire qu'ils se méfient de cette réalité médiatisée. Par peur de perdre leur impartialité, ils se sont coupés de la réalité !

Nadia a mal au cœur pour Zahra. Le paradoxe, c'est que son ex-mari aime profondément son bébé et qu'il n'a pas conscience d'entraver son épanouissement et son éducation. Au contraire, dans sa vision du monde, en le coupant de toute image et de tout contact, il est persuadé de le sauver de ce monde perverti. Mais il est lui-même victime d'embrigadement. Il faudrait le rencontrer, peut-être qu'il pourrait en sortir lui aussi ? Par amour pour son bébé ? Zahra doit souffrir profondément car elle connaît tous ces éléments. Elle sait que son ex-mari était un homme bon et qu'il est avant tout victime de ce processus. C'est dur de sauver son enfant en laissant s'enfoncer l'homme que l'on a aimé, Nadia en sait quelque chose. Vingt-cinq ans plus tard, son cœur se serre encore en pensant à son deuxième mari, le père de Clara.

Nadia se revoit au tribunal, des années en arrière, comme si c'était hier :

– Madame n'est pas fondée à refuser notre proposition, avait sifflé Maître Habshi. Elle a profité de l'hospitalisation de monsieur pour entamer sa procédure de divorce.

Nadia avait ouvert la bouche, son avocat l'avait fait taire. Maître Habshi était une jeune femme maigre, les cheveux noirs mi-longs, qui portait de grosses lunettes. Privée de parole, Nadia avait touché la main de Fatma autour de son cou : il n'y avait qu'une pensée magique qui pouvait la calmer... Ses genoux tremblaient. Elle voyait ceux de Tony trembler aussi. Ça faisait du bruit.

– La pièce numéro un ne montre pas que ce soit monsieur qui ait commis l'agression. Il a été vu après, pas pendant. La pièce numéro deux ne prouve pas que ce soit son écriture, nous demandons une analyse graphologique. La pièce numéro trois relate un événement réalisé sous alcool : monsieur a tant souffert de la privation de sa fille... Le juge comprendra qu'il n'était pas dans son état normal. La pièce numéro quatre n'établit pas avec certitude que cette voix était celle de monsieur.

Maître Habshi avait avalé sa salive.

– Madame invoque la violence de monsieur sans pouvoir la prouver. Un certificat de travail prouve que monsieur n'est pas l'individu alcoolique et violent qu'elle décrit. C'est bizarre pour un homme accusé de vouloir enlever sa fille. En vérité, madame a toujours voulu couper l'enfant de son père car celui-ci souhaitait le divorce. Tout est bon pour diminuer monsieur. Madame use de son statut social d'éducatrice pour enfoncer monsieur. Pourtant monsieur est courageux. Je rappelle à madame l'obligation de respecter les droits de l'enfant et du père, sauf à courir le risque de poursuites pénales.

Nadia avait relevé la tête en pensant qu'elle allait la taper : elle voulait se jeter sur elle, lui arracher ses lunettes, ses cheveux et son bandeau jaune, la mettre dans une bouteille et bien visser le bouchon. Elle la regarderait suffoquer.

Tony avait les yeux dans le vide. Il avait un air de chien battu, tous les signes extérieurs d'un pauvre père dominé par la société, par sa mère, par sa femme, par la justice. Il était humble, tolérant, déprimé, répondait d'une voix douce comme s'il était à bout. Nadia n'arrivait pas à se calmer, elle sentait la haine sortir par tous ses pores. Elle dégoulinait de révolte. Pour lui, elle réservait la lourde chaise du fond, qu'elle allait lui écraser sur la nuque, jusqu'à ce qu'il agonise lentement. Comment osait-il ?

Son avocat l'avait empêchée de parler. Il avait demandé que « Monsieur se soigne avant tout contact avec sa fille ». Il avait repris les pièces du dossier, une par une, dans la pile de mains courantes de Police secours, de la Section de roulement, du commissariat, les diverses attestations pour menaces de mort, les certificats médicaux des 5, 9, 19 et 21 janvier, des 15, 19, 22, 25 et 27 février, des 2, 8, 9, 13 et 24 mars, etc. Il avait relu au passage le certificat rédigé par le service de médecine légale et réalisé alors qu'elle en était à cinq mois de grossesse : « 3 hématomes d'environ 5 à 8 centimètres carrés sur la face externe du bras droit, 10 hématomes d'environ 5 à 8 centimètres carrés sur la face externe de la cuisse droite, 3 hématomes d'environ 5 à 8 centimètres carrés sur la jambe droite, 10 plaies linéaires sur la région suspubienne de 20 centimètres de long et 2,5 de large... » Auquel il avait ajouté les comptes rendus du centre hospitalier pour « fracture des os propres du nez, légère déviation de la cloison nasale », une fois à gauche, une fois à droite, une autre fois à gauche. « Il est redevenu droit », avait dit Tony en rigolant.

Lorsque l'avocat de Nadia avait eu terminé et prouvé le lien entre les violences « et monsieur », Maître Habshi avait repris :

– Certes, monsieur ne nie pas qu'il a eu quelques passages délicats. Mais cela appartient au passé. Et il ne faut pas inverser la situation. Monsieur tombe en dépression parce qu'il ne voit pas sa fille, et madame invoque le déséquilibre de monsieur pour lui refuser sa fille.

Voyant la tête de Nadia, elle avait ajouté :

– Il n'y a que la vérité qui fait mal.

Aujourd'hui Nadia regarde Zahra, les yeux hagards, au milieu de ses collègues qui sont révoltés.

– Et si on faisait la grève de la faim devant le tribunal ?

– Excellente idée... L'équipe mandatée pour désembrigader les jeunes se laisse mourir pour injustice !

Nadia soupire :

– Gardons ça comme dernier recours... Pour le moment, il faut attendre de voir comment Sophian va se comporter. Est-ce qu'il va porter plainte à chaque non-présentation ? Est-ce qu'il va continuer à venir voir son bébé en présence de Zahra ? Peut-on lui parler et l'aider ?

Ali et Aouda

Au moment de partir de la réunion ce soir-là, Nadia reçoit l'appel d'un juge. Elle se retient de parler du cas de Zahra. De toute façon, cela ne servirait à rien puisque c'est « chose jugée », comme ils disent. Le magistrat veut faire réaliser l'expertise d'un couple intercepté à la frontière avec un bébé. Il souhaite savoir s'il peut rendre à ses parents le petit Ilyas, qui est placé en pouponnière depuis l'arrestation. Cela fait déjà dix mois, et les travailleurs sociaux sont divisés. Ils garantissent tous que les parents sont aimants et attentifs, mais comment être sûr qu'ils ne vont pas tenter de repartir en Syrie ?

Le jour du rendez-vous avec ce couple, Samy attend Nadia devant la salle. Il porte son sweat-shirt Nike préféré. Zahra rigole avec Fathia et Samia. Clara a ouvert son ordinateur et vérifie quelque chose, debout en pleine rue, tenant l'écran à hauteur de son visage, clignant des yeux pour contrebalancer la luminosité, très concentrée...

Stéphane, Vivien et Nadia les rejoignent :

– Allez, on ne reste pas agglutinés sur le trottoir !

Tout le monde se masse vers la porte.

Fathia pose la question du jour :

– Nadia, comment on va s'y prendre ? On n'a jamais expertisé un couple... En plus, ce sont des parents. Et ils savent qui on est : le juge a indiqué sur l'ordonnance notre mission.

Fathia a raison. Habituellement, les jeunes ignorent qu'ils viennent à une séance de désembrigadement. Leurs parents leur disent qu'ils les accompagnent dans un groupe de parole, style « les parents de convertis » ou bien « les parents angoissés sur l'islam », etc. Quand le jeune entre dans la salle, il croit être un parmi d'autres et n'imagine pas que Nadia et son équipe ont minutieusement choisi des témoignages de désembrigadés qui lui ressemblent, pour qu'il se retrouve en eux et comprenne ce qu'il lui est arrivé. Pour ce couple, impossible de procéder ainsi.

– Ils s'appellent Ali et Aouda. Le prénom civil de Aouda est Camille, les travailleurs sociaux l'appellent ainsi. Je propose qu'on l'appelle par son prénom musulman, c'est une reconnaissance. Qu'en pensez-vous ?

Samy acquiesce :

– Ben oui, on est en démocratie, on peut encore choisir son prénom !

Nadia aime bien les réparties de Samy : toujours un mélange de synthèse et de légèreté.

Clara intervient :

– J'ai demandé à Inès, Charlotte, Léa et Sarah de venir aussi. Je me suis dit que c'était bien de mettre deux générations dans la même pièce. Les petites de 16 ans vont-elles se reconnaître dans Ali et Aouda, qui ont dix ans de plus ? Et eux, que vont-ils penser de nos petites ?

Nadia conclut :

– Je n'ai aucune stratégie en tête... On y va à l'aveugle, on se fait confiance, on laisse faire la nature humaine, ou la grâce de Dieu, comme vous voulez... Ou les deux à la fois peut-être.

L'équipe hoche la tête et se répartit l'accueil des uns et des autres à l'entrée Vigipirate, en compagnie de Stéphane. Pour une fois, on leur a octroyé une salle située dans les locaux d'un ministère. Habituellement, les séances se déroulent dans des salles d'hôtel louées ici ou là, histoire de respecter les obligations de sécurité qui les obligent à changer régulièrement de lieu. Vivien monte avec Nadia. Ses anges gardiens ne la laissent jamais seule.

Un quart d'heure plus tard, tout le monde est installé autour de la table ronde. Les petites sont heureuses de se revoir, comme toujours. Sortir de l'embrigadement les met dans une grande solitude. Pendant des semaines, elles avaient cru faire partir d'un groupe d'élus, supérieurs au reste du monde, au sein duquel elles se sentaient reconnues, protégées, importantes, et d'un coup, on leur montrait que ce groupe était constitué de prédateurs qui voulaient les conduire à la mort, symbolique et réelle... Pendant le long laps de temps où elles vivent dans un « entre-deux » inconfortable, elles aiment se retrouver entre rescapées.

Ali et Aouda sont légèrement mal à l'aise, *a priori* surpris de se retrouver avec autant de personnes, surtout des collégiennes boutonneuses.

Nadia a cherché à rassurer Clara et son équipe mais en vérité elle est toujours crispée au début d'une intervention. Elle peut faire une conférence devant mille personnes sans bégayer, mais là, elle a tellement peur qu'elle en a mal au cœur. Depuis le démarrage de leur expérience de désembrigadement, chaque séance est différente. Il faut être à l'écoute des paroles, mais aussi savoir être attentif aux regards et aux positions de chacun. La dernière fois, à la fin, Stéphane avait remarqué :

– Vous êtes fatiguée, Nadia. Vous n'avez pas vu que la mère ne voulait pas que sa fille parle. Elle n'était pas en confiance.

Il avait raison. Nadia était sortie de la séance en se disant qu'il y avait un secret de famille qui allait bientôt être révélé, mais impossible d'expliquer pourquoi elle avait ce sentiment. Clara et l'équipe lui avaient confirmé l'observation de Stéphane :

– C'était physique. À chaque fois que sa fille parlait, la mère éloignait sa chaise de la table et mettait son bras sur elle...

Nadia s'était uniquement concentrée sur les paroles et n'avait rien vu.

Aujourd'hui, elle interroge du regard Clara et les mousquetaires (c'est ainsi qu'elle appelle Samy, Zahra, Fathia et Samia), s'appuie sur leur présence et commence par un tour de table des petites pour faire le point sur leur état, surtout Léa, la dernière arrivée. Cette dernière prend la parole de bon cœur :

– Tout est dur... La nuit, je pense aux plus petites que moi que j'ai incitées à partir et je fais des cauchemars. Surtout Amel, elle avait à peine 13 ans. Je me remets sur Internet en cachette dès que je peux et il n'y a aucune nouvelle d'elle. Voilà... Ça me hante. J'imagine qu'ils jouent au football avec sa tête, comme dans les vidéos. Je ne maîtrise pas ces images, elles s'imposent à moi. Et puis c'est dur de ne parler à personne. Mes parents voudraient bien m'aider, mais j'ai trop honte pour me confier à eux. Il n'y a que quand je viens vous voir que je me sens comprise. Je dois être la seule musulmane dans mon village breton et aux alentours. Et même les musulmans lambda, ils me rejetteraient. Il faut avoir vécu avec les frères et les sœurs de la Dawla pour comprendre : l'engouement, la fraternité, la complicité, le rêve... C'était nous contre le monde entier.

Charlotte prend le relais sans qu'il ne soit besoin de la pousser :

– Moi, c'est la bagarre avec les parents. Ils ont peur que je reste musulmane. Maman a jeté tous mes foulards et toutes mes jupes longues. Papa a dévissé la porte de ma chambre, pour pouvoir vérifier que je ne prie plus. Je n'ai plus aucune intimité, avec mes deux petites sœurs qui en profitent pour faire le bazar. Quand je prends ma douche, ils me chronomètrent, de peur que je fasse mes ablutions. C'est idiot parce qu'une douche remplace les ablutions[35]. Maman met des lardons partout sauf dans les desserts. Je ne peux plus rien manger. Le pire, c'est leur regard. Ils me voient comme un échec. Ils se demandent ce qu'ils ont fait comme erreur pour que je tombe si bas. Croire en Dieu... En plus l'islam..., le bas du bas. Je suis certaine qu'ils auraient préféré que je prenne de l'héroïne. Voilà...

Sarah ajoute, dubitative :

– Moi, j'ai compris maintenant quel est le vrai visage de Daesh et je n'ai plus envie de partir, mais si tu me dis « wake up[36] », je me redresse et je te réponds : « Dawla ! ». Ils sont encore associés à la révolution dans mon inconscient.

---

35. Le musulman purifie les orifices de son corps, ses mains et ses pieds avec de l'eau avant chaque prière.

36. « Réveille-toi ». Les vidéos djihadistes enjoignent les jeunes recrues à ne pas se « laisser endormir » par les discours de leurs parents, de leurs professeurs, des médias et de la société tout entière.

Nadia note le changement de vocabulaire : Sarah emploie le mot Daesh quand elle raisonne et reprend le terme Dawla quand elle est dans l'émotion. Les embrigadés détestent l'appellation Daesh, qui n'est pourtant que l'acronyme de l'État islamique de l'Irak et du Levant, premier nom que s'était attribué le groupe terroriste. Ils se distinguent des médias en se nommant Dawla, qui signifie tout simplement : « État ».

Inès précise :

– C'est comme si c'était devenu une passion, comme une série vidéo dont on n'arrive pas à raccrocher... On est accro.

Charlotte reprend :

– Moi, à la base, je déteste la violence de Daesh. L'islam, c'est pas ça. Mais l'autre jour, quand j'ai vu dans un reportage filmé en caméra cachée en Syrie plein de sœurs ensemble dans un cybercafé, j'avais trop envie de les rejoindre... Heureusement qu'on a eu réunion quelques jours après.

Clara intervient :

– Tu es en train de dire que c'est la fusion du groupe qui t'attire avant tout.

Inès confirme, et précise qu'au centre éducatif fermé, elle ne regarde même plus les infos car elle a peur qu'une simple image de la Syrie lui donne envie de les rejoindre :

– Rien qu'entendre leur nom, ça me remet le doute. Je ne fais pas exprès, c'est plus fort que moi... Même quand les médias montrent des images de propagande pour les dénoncer, juste quand je vois des frères et des sœurs ensemble, ça donne trop envie d'être avec eux en fait...

Une autre intervient :

– Moi c'est quand j'entends leurs anachid[37]. J'ai mon cerveau qui bugge, je souris, on dirait une débile, une psychopathe...

Nadia leur dit que c'est très dangereux de se rebrancher sur Internet :

– Vous avez construit un monde parallèle avec des communications virtuelles. Charlotte, tu éprouves en ce moment un sentiment de grande solitude. Tu as perdu ta tribu, donc tu te sens faible. Tes parents sont traumatisés par un tsunami qui avait l'odeur et la couleur de l'islam, ou qui s'en prétendait ; c'est dur de leur faire la morale. On a beaucoup parlé avec eux pour leur expliquer la différence entre l'islam et l'embrigadement chez Daesh. Mais c'est vrai que de leur point de vue, tu resteras embrigadée tant que tu ne remangeras pas du cochon. C'est plus fort qu'eux. Du coup, tu te retrouves un peu coincée au milieu de deux groupes qui te dictent ta pensée. Chacun te rejette si tu n'es pas exactement comme eux. C'est encore un monde binaire : l'islam vu par Daesh ou pas de religion du tout. C'est bien que tu arrives à exprimer tes sentiments ici, c'est grâce à cette prise de conscience que tu pourras te libérer et choisir ce que tu veux être, tu comprends ?

Samy, très pragmatique, ouvre son ordinateur et déclare :

– Écoutez un extrait de « *A Course in the Art of Recruiting*[38] », je n'invente rien, vous pouvez le trouver sur Internet... Le premier chapitre commence par : « Aime-t-il passer du temps avec vous ? Le recrutement doit se faire tout en douceur. Faites attention de ne pas parler de djihadistes dans les premières

---

37. Chants religieux.
38. Un cours sur l'art de recruter.

étapes, il faut parler de combattants résistants en général... Le recruteur doit connaître les centres d'intérêt du candidat, ses interrogations et savoir ce qu'il fait de ses journées, du matin au soir. Un dialogue ininterrompu doit s'installer, en même temps qu'une sorte d'amitié. Aux étapes suivantes, la discussion doit se porter, entre autres, sur l'accès au paradis. Le candidat, qui a peur des punitions dans l'au-delà, devra se pencher sur les vertus du djihad. Vous devez également utiliser l'actualité et tous ses exemples horribles pour analyser et expliquer la situation des musulmans dans le monde. Le cas de la Palestine doit être particulièrement utilisé parce qu'il est le moins clivant, tandis que les autres combats ont été "dénaturés" par les médias. Ce n'est qu'à la dernière étape, après des mois de travail, que le djihad deviendra l'objet premier de la discussion. Et il faudra préparer le voyage "ensemble". »

Samy relève la tête vers le groupe qui est resté scotché par ses propos :

– C'est clair comme ça ?

Léa fait signe que oui de la tête et garde les yeux dans le vide.

Inès revient sur ses rêves de princesse, qui lui ont valu de passer du juge pour enfants au juge antiterroriste... C'est quand elle s'est mise sous l'emprise d'Abu Hamza qu'elle a commencé à remplacer ces images de fin du monde par celles de têtes coupées, qu'elle échangeait sur les réseaux sociaux comme si c'était une simple collection d'images de footballeurs. Elle attend son jugement pour apologie du terrorisme. Dans un soupir, elle laisse échapper :

– Je me sentais tellement valorisée quand je discutais avec mon mari... Moi qui suis si complexée, il me disait : « T'es trop belle, je te prends direct... »

Ali se redresse d'un seul coup.

– Ton mari ? Quel mari ? Quel âge as-tu ?

– 14 ans et demi, répond Inès, intimidée par le ton intrusif de Ali.

– Qui t'a épousée à 14 ans et demi, quel imam a accepté ?

Inès rougit, baisse la tête en regardant Nadia du coin de l'œil qui traduit :

– Ils se sont mariés par Skype, Ali.

Ali continue d'être surpris :

– Mariés par Skype ? Mais ce sont des conneries de journalistes, ça ! Vous êtes mariées par Internet vous aussi ?

Il s'adresse aux autres petites qui répondent en un seul souffle :

– Ben oui *MachAllah*[39].

– Moi c'est Abu Saïf Allah mon mari...

– Moi c'est Abu Hamza...

– Moi je suis mariée avec Abu Bilal... Il m'a dit de ramener mes trois sœurs préférées, pour qu'on soit coépouses. Mais là, je viens d'être contactée... Quelqu'un me dit qu'il a déjà trois femmes... Je n'y comprends rien.

Nadia sent que l'ambiance est lourde et veut faire un peu d'humour :

– Ali, ne t'inquiète pas, elles ont été mariées par Skype, mais nous, on les a divorcées par Snapchat !

Sa réplique ne fait pas rire Ali. Il est concentré sur les petites et murmure des trucs à sa femme. Il grommelle :

---

39. « Comme Dieu le veut ».

– Je croyais vraiment que c'étaient les journalistes qui inventaient ça. Se marier par Skype, c'est vraiment débile.

Léa le prend mal :

– Pourquoi débile ? Même que pour ma dot, à mon arrivée, j'aurais reçu une Kalach' et un petit chaton[40].

Ali s'énerve :

– À l'arrivée, tu aurais été enfermée au maqar et au bout de quelques jours tu aurais craqué et épousé le premier venu, juste pour avoir de l'eau et à manger ! Il faut vous réveiller ! L'émir est dépassé et il délègue à des frères le rôle de baratiner les filles. Ceux qui font les rabatteurs sont ceux qui n'ont pas réussi à se faire recruter pour combattre. Soit ils sont malades, soit ils sont handicapés, soit ils sont incompétents, soit ils n'ont pas convaincu le haut commandement de leur engagement véridique... Ils sont dans les cybercafés toute la journée. C'est leur job de vous faire miroiter de beaux projets. Ton Abu Saïf Allah, il n'est pas au califat. Il fait des allers-retours entre l'Allemagne et la France pour faire passer des nouvelles recrues. Toi, ton Abu Hamza, il a déjà quatre femmes. Tu ne l'aurais jamais vu, pas une seule fois. Et ton Abu Billal, je ne le connais pas, mais ça n'a pas l'air mieux !

Nadia comprend qu'Ali s'est déjà désembrigadé en grande partie tout seul. Le choc provoqué par la mise en pouponnière de leur bébé a dû le ramener brutalement dans le monde réel. Il ne croit plus en l'utopie du monde parfait de Daesh...

Samy profite des paroles d'Ali pour reprendre sa lecture du manuel du recruteur déniché sur Internet :

---

40. Voir note 22.

– « Chapitre 2. Les critères du recrutement » : ils ont des critères pour recruter ! Vous voulez les connaître ? C'est exactement votre profil !

« 1. trouver des musulmans non pratiquants ;

« 2. trouver des musulmans en évolution qui cherchent un ami pour les aider à devenir pratiquants ;

« 3. trouver des jeunes qui ne sont pas musulmans, qui ne connaissent rien à l'islam ;

« 4. chercher des jeunes qui habitent loin des villes, car ils sont faciles à manipuler à cause de leur solitude ;

« 5. chercher les étudiants partis à l'université loin de chez eux, car ils sont aussi isolés ;

« 6. chercher des lycéens, car ils sont naïfs et sont trop jeunes pour être des espions. »

Samy marque un temps d'arrêt et remarque le visage assombri de Ali qui murmure en le regardant :

– C'est difficile de juger les gens... Avant d'être djihadistes, ils ont été manipulés, comme vous, comme moi... Chacun manipule et chacun est manipulé... Chacun est coupable, chacun est victime. Seul Dieu juge... Ils attendent l'entraînement, ils font leur djihad de cette façon, en ramenant des nouveaux djihadistes...

Inès dit d'une toute petite voix :

– Sur Internet, j'ai trouvé une affiche où ils vendent les femmes.

Léa renchérit :

– Moi aussi, je l'ai vue. Les blondes 35 euros et les brunes 12 euros.

Sarah ne peut s'empêcher d'ajouter :

– Alors les blacks doivent être gratuites...

Charlotte commente :

– Une sœur sur Internet m'a dit : « Toi t'es convertie, t'as pas besoin du consentement de tes parents pour te marier, tu peux te marier sans eux ». Mais ça me semblait trop facile, je lui ai répondu : « Pourtant c'est bien Allah qui m'a donné mes parents ; il y a quelque chose qui cloche quelque part... »

Alors que Nadia s'apprête à intervenir, Aouda prend la parole, d'un ton calme et rassurant :

– Discerner le vrai du faux, c'est très difficile, même quand on est adulte. Cette question, je me la suis posée avant de partir avec mon bébé. J'avais peur de me perdre et de m'égarer. Je voulais contrôler, être sûre que c'était le vrai califat là-bas, avec le vrai islam... Quand je me suis convertie, je croyais vraiment que je trouverais une grande famille. Dans la réalité, j'ai été déçue... Quand je portais le hijab, ça me blessait qu'on me regarde mal... Pourtant, il était de couleur, je le portais avec des grandes chemises assorties, il n'y avait rien de choquant. Après j'ai mis le jilbab, c'était plus pratique et je n'avais plus envie de faire d'effort pour personne. Je voulais juste plaire à Dieu. Je rêvais d'une vie tranquille. Sur les vidéos de la Dawla, on voyait des jouets, des parcs à manèges, des enfants souriants... Ces vidéos montrent des familles entières quitter l'Occident et qui sont heureuses, souriantes... Sans ces images, on n'aurait jamais eu l'idée de partir. C'était notre terre promise, où plus personne ne pouvait nous persécuter.

« Il y avait pourtant des signes que j'aurais dû voir. Par exemple, quand tu fais ta hijra, normalement, tu te détaches des biens matériels, tu es humble, tu te remets en question... Et là, quand je les voyais dans leurs vidéos en train de brandir leurs Kalach' debout dans leurs belles voitures, j'avais l'impression de voir des gangs de bandits qui rivalisent entre eux. Juste en voyant ce décalage entre leurs comportements et les valeurs de l'islam, j'aurais dû capter... Mais non, j'ai préféré rester aveugle. J'étais noyée dans les informations contradictoires, j'étais perdue... Je suis restée sourde aussi aux anecdotes qui arrivent de là-bas et qui racontent comment ceux du 93 peuvent tirer sur ceux qui sont du 92 ou du 94. C'est du n'importe quoi... Bref...

Les petites écoutent, touchées par l'authenticité de Aouda. Ali prend le relais :

– Moi j'étais un peu dans le cas de Léa. Avant de nous amener à faire du mal aux autres, ils nous font croire qu'on va sauver les enfants maltraités. De vidéo en vidéo, j'ai été touché par celles des enfants gazés par Bachar al-Assad. J'avais envie à la fois d'immigrer en terre sainte et aussi de me battre contre les soldats de ce dictateur impuni : j'apprenais sur Internet que tous les musulmans étaient massacrés partout, et j'avais envie de faire partie de leurs sauveurs. Moi aussi, je ne voyais que le bon côté des choses... Enfin... Je ne voulais voir que le bon côté des choses... J'ai eu des signes pour me montrer qu'ils tuaient et qu'ils se tuaient entre eux, mais je ne les écoutais pas. Je ne voulais pas entendre la petite voix qui me disait : « Attention »... Je suis entré en contact avec les chefs, je me focalisais sur les injustices, je ne voyais plus rien d'autre. En fait, ils te font basculer en accentuant ton sentiment de culpabilité...

Aouda regarde Nadia :

– Tu parlais de la fusion à l'intérieur du groupe. C'est vrai, on l'a tous vécue ici. C'est un sentiment très fort, qui nous donne de la force. Mais il y a un truc que tu n'expliques pas assez, si je peux me permettre. Parce que moi, je me souviens du comportement d'Ali. Il a vite voulu défendre les enfants, puis, effectivement, il a décidé de combattre les soldats. Il était dégoûté que la communauté européenne n'ait rien fait. Mais après, ce qui l'a fait vraiment basculer, c'est quand il a dû se rattacher à un groupe. Au départ, il voulait partir seul et, sur place, il aurait choisi son bataillon et un lieu sûr pour nous. Mais en vérité, c'est impossible. Tu dois choisir un groupe pour être en sécurité, ne pas être tué toi-même, préparer ton départ : par où tu passes, qui vient te chercher, quel appartement peut t'héberger, etc. Et c'est là qu'Ali a sombré : le groupe l'a mangé.

Ali acquiesce de la tête :

– Oui, c'est là que j'ai perdu le nord. J'étais en train de glisser mais je n'ai pas senti que je glissais... C'est comme quelqu'un qui passe de l'alcool à l'alcoolisme... Jusqu'à aujourd'hui, je n'arrive pas à l'expliquer... Je suis passé de la lutte contre les soldats de Al-Assad à la lutte contre tous ceux qui ne luttent pas contre ! Je sais bien qu'au début je voulais défendre les musulmans mais après, ils te mènent à tuer... En fait, on finit par te persuader que pour défendre les musulmans, il faut tuer tout le monde... Tu pars faire de l'humanitaire, tu es immergé dans la souffrance des victimes. Après tu passes à l'envie de les protéger. Donc tu finis par avoir envie de prendre les armes pour combattre ceux qui les oppressent. Et puis après, tu passes à l'étape suivante : aller combattre les uniformes, puis à combattre ceux qui n'ont pas d'uniformes, en partant du principe que s'ils ne se battent pas, c'est que quelque part ils sont complices... Tu vois... Et après, peut-être que tu peux finir par tuer des enfants en te disant que c'est leurs fils ? C'est horrible.

Nadia murmure :

– C'est l'amplification de la paranoïa : tu finis par te dire qu'il faut éliminer tous ceux qui ne pensent pas comme toi parce que forcément, ils vont entraver ton projet.

Aouda confirme :

– C'est vrai que les vidéos djihadistes te mettent dans une situation où tu n'as plus confiance en personne et tu te coupes de tout le monde. J'avais envie de fuir cette société où tout le monde me mentait. J'étais devenue parano mais je ne le savais pas. Si je m'en étais aperçue, j'aurais trouvé la force de ne pas partir. Mais là, tu te fais peur toute seule, c'est la grande solitude, donc tu prends les jambes à ton cou et tu prends tes enfants sous le bras, croyant les sauver...

Nadia ne peut s'empêcher de poser une dernière question à Ali :

– Ce chef de groupe que tu as contacté, tu le qualifierais de gourou ?

– On ne peut pas dire que c'est un gourou. C'est un endoctrinement sans gourou. Quand tu es immergé dans cette idéologie, tu te coupes tout seul des autres. Ce chef ne fait que te dire des choses qui te confortent et toi tu te dis « C'est bien ce que je pensais ». Il est fort : tu n'as pas envie de faire ce qu'il te dit, dans ta tête tu crois faire ce que Dieu veut. Il fait en sorte que tu t'autopersuades des choses. Tu deviens victime et coupable à la fois. Moi je me sens victime et coupable.

Aouda murmure :

– Quand les flics nous ont pris, ils ont attrapé notre bébé. Ils nous ont regardés bien en face et nous ont dit : « Allez y maintenant, vous pouvez y aller... » Ça a été le pire moment de ma vie, comme si je me voyais tomber dans un trou.

Nadia a envie d'ouvrir la bouche pour la rassurer. Son rapport au juge montrera que la jeune mère et son mari sont désembrigadés. Mais elle choisit finalement de se taire. Il faut un peu de temps pour le vérifier. On ne peut pas se permettre de donner de nouveaux faux espoirs à Ali et Aouda.

Hanane

Hanane a fait ses ablutions avec le tout petit filet d'eau qui coule lamentablement du robinet crasseux. Il fait sombre ; la pièce n'a pas de fenêtre, pas de lumière. En haut du mur, de gros insectes s'agitent, sans qu'elle ne puisse distinguer lesquels. Elle s'apprête à prier mais sent qu'on la regarde. Ça la bloque, car le policier de la Dawla qui l'interroge depuis son arrivée a voulu lui faire dire qu'elle était chiite[41]. En effet, elle a appris à prier en regardant faire son père et ce dernier embrassait ses mains après la prière. Le policier l'a gardée deux nuits de suite en interrogatoire juste pour ça, prétendant que c'était une *bid'a*[42] et que cela prouvait qu'elle était chiite. Elle termine donc sa prière sans embrasser ses mains.

---

41. Branche de musulmans minoritaires qui, par exemple, ne suivent pas la Sunna, tels que le font les Sunnites. Daesh les massacre systématiquement, estimant qu'ils ne sont pas dans la *hakida* (« vérité »).

42. « L'innovation » consiste à ajouter à la religion des éléments qui n'existaient pas du temps du Prophète. Beaucoup de musulmans croient à tort que toute nouvelle chose est forcément une innovation interdite et un égarement, même s'il s'agit de choses utiles pour la communauté. Pour les intégristes, la moindre différence de leur pratique est une *bid'a* (« innovation ») et permet d'accuser le musulman critiqué d'être un apostat, un égaré ou un hypocrite.

Hanane entend des hommes parler à l'étage. Elle maîtrise l'arabe littéraire, ce qui lui permet de suivre un peu toutes les conversations en langues arabes. Des pas se font entendre, puis un homme ouvre la porte de sa cellule.

– C'est toi Hanane ?

Elle se dit que celui-là a l'air juste. Il a une bonne tête et lui sourit presque.

– Oui, c'est moi.

– Patiente encore un peu, on va pouvoir y aller.

La cellule est située en sous-sol, l'entrée du bâtiment en haut et la salle d'interrogatoire au rez-de-chaussée. Hanane répond poliment, pleine d'espoir :

– *Barak Allahoufik*[43].

Elle ne peut s'empêcher d'espérer. Il y a bien parmi tous ces hommes de Daesh un musulman qui va appliquer l'islam, l'écouter, et comprendre qu'elle est là par erreur !

Des hommes arrivent et la font monter. Hanane entend de plus en plus nettement une femme à l'accent jordanien jurer en pleurant qu'elle n'est pas une espionne. Leurs regards se croisent au travers de leurs sitars et Hanane comprend qu'elle va être à nouveau interrogée.

Effectivement, ils la poussent vers un tabouret installé au milieu d'une salle sans fenêtre. Les deux hommes lui demandent la marque de la voiture de son père, son adresse et la description de son immeuble. Hanane ne sait pas si elle doit ou non dire la vérité. Ont-ils déjà ces renseignements ? Vont-ils la

---

43. « Qu'Allah te bénisse ».

tuer si elle ment ? Mieux vaut jouer franc-jeu, le principal étant de sortir vivante.

Le plus rigide est un Syrien qui prend un accent pour se faire passer pour un Saoudien. Il lui demande :

– Comment est ton père ?

Comme elle ne sait que répondre, il exige une photo.

Hanane attrape dans son sac à moitié vidé son portefeuille et sort une photo de son père.

– Il est hadj [44], laisse-t-elle échapper, comme pour assurer sa validité religieuse.

Mais le Syrien attrape un bâton par terre et lui donne un coup fort sur les mains.

– Arrête de toucher ton sitar, tu veux le soulever ou quoi ?

Hanane s'aperçoit qu'elle tripote nerveusement son sitar au niveau du cou. Ils la prennent pour une fornicatrice qui veut montrer ses yeux pour les charmer. Elle essaye de maîtriser ses mains tremblantes et les pose bien à plat sur ses genoux.

– Ton père n'a même pas de barbe, c'est un mécréant.

Elle s'apprête à jurer qu'il n'y a pas de musulman plus pratiquant que son père et que par Allah il est imberbe, mais elle reçoit un deuxième coup de bâton sur les doigts, plus violent que le précédent. Elle comprend qu'elle a encore tripoté son sitar. Elle essaie à nouveau de se concentrer mais reçoit un troisième coup qui la fait vaciller de son tabouret : ils ont trouvé la photo de sa tante dans son portefeuille, elle porte juste un petit foulard.

---

44. Titre que l'on donne à une personne ayant effectué le pèlerinage à La Mecque.

– Voilà la preuve de ta traîtrise, tu n'es qu'une espionne !
Reste à savoir pour qui tu travailles : les chiens français, les
chiites ou Al-Nosra[45] ? À moins que tu ne sois payée par Bachar
al-Assad ? Espèce de fornicatrice française !

Le faux Saoudien brandit la photo et la déchire.

– Non ! Elle vient de décéder ! crie Hanane.

Le nouveau coup qu'elle reçoit la fait tomber à terre. Elle
pleure tellement qu'elle n'a plus la force de se relever. Elle les
entend répéter : « Tu n'es qu'une espionne, c'est fini pour toi ».
Hanane reprend sa respiration, s'assoit par terre et ramène son
sitar contre elle, comme s'il pouvait lui servir de bouclier. Mais
elle a perdu tout espoir d'être entendue. Elle n'y croit plus, et
quand on n'y croit plus, on a moins peur :

– Où sont vos dalîls[46] ? Je veux voir le juge islamique ! Où
sont vos témoignages[47] ? Il n'y a aucune preuve contre moi ! Si
vous en avez, exécutez-moi, maintenant ! Sinon, laissez-moi
partir en paix. Vous ne craignez donc pas Dieu ?

Ils ne répondent pas et se mettent à fredonner le chant de la
vidéo du pilote jordanien qu'ils ont brûlé vif[48]. Hanane ne veut
pas entendre. Elle crie encore plus fort :

– Vous ne savez pas qu'en islam, si un croyant donne une
preuve à un autre croyant et que ce dernier ne se repent pas, il
aura le châtiment de l'enfer ?

Elle se met à parler en arabe, elle cite le Prophète.

---

45. L'organisation Al-Nosra, issue de Al-Qaida, refuse de faire allégeance à
Daesh.

46. Preuves.

47. En islam, il faut quatre témoignages pour accuser une personne.

48. Daesh a mis en ligne la vidéo du meurtre début janvier 2015.

– Ferme-la, est la seule réponse qu'elle obtient.

Un troisième homme, qui porte une cagoule, les rejoint. Il se penche vers elle et lui dit bien distinctement :

– La Dawla est une mafia, on va te tuer, tu peux commencer à pleurer ta mère...

Hanane a envie de se cacher le visage, alors qu'il est déjà caché... Ne plus rien voir, tomber dans le néant, pour de vrai. Puis les coups commencent à pleuvoir.

Elle se réveille endolorie dans sa cellule. Une rage folle la saisit, elle se traîne vers la porte et se met à crier :

– Vous ne craignez pas Allah ? Alors étranglez-moi si vous êtes des hommes !

Le gardien marmonne :

– Si tu ne te tais pas, je te jure que c'est moi qui vais t'étrangler de mes propres mains.

Hanane n'a plus peur de rien :

– Eh bien étrangle-moi, sois viril, maîtrise-moi ! Où est ton honneur ?

Mais l'homme est remonté à l'étage.

La femme à l'accent jordanien dort à côté d'elle. En tout cas, on dirait qu'elle dort. Hanane l'apostrophe :

– Mais comment peux-tu dormir ? Réveille-toi !

Elle ne répond pas. Hanane se demande si elle est consciente :

– Allah, sors-nous d'ici... C'est pas possible, je rêve...

Elle essaye de se pincer, mais avec ses gants, elle n'y arrive pas. Elle s'entend parler toute seule :

– Sur Twitter, les sœurs sont choyées. On nous dit : « Ah, ma sœur, ici c'est le paradis, tu pourras faire ci et faire ça... Ton mari te traitera bien... Tu seras sa princesse... Ici les femmes sont respectées... » En vérité, ceux qui sont venus combattre les injustices pour gagner le paradis veulent tous repartir. Sauf qu'ils savent qu'ils se feront exécuter... Alors, à bout, ils veulent en finir. Comme ce frère, celui du sud. Il est parti à Kobané [49] et s'est planté devant un Kurde qui lui a tiré vingt-huit balles dans le corps.

Sur Twitter, vous les frères du Sham vous êtes bronzés et musclés, avec le regard ténébreux... En vérité, vous puez : depuis quand vous n'avez pas d'eau ? Vos chaussures n'ont même pas de lacets... Vous zonez dans les cybercafés pour choper une femme qui parle votre langue.

Même pour manger vous n'êtes pas libres... Et puis vous avalez du riz toute la journée. Le poulet, c'est pour les fêtes. Ah ! oui : « Venez au Sham la bouffe est gratuite »... Où sont les gâteaux au chocolat des photos d'Internet ? Avec la mention « On a la baraka au Sham »... Moi je croyais même qu'il y avait des pâtisseries à Raqqa... Et la verdure ? On se dit : « Ah ! c'est beau, c'est le paradis... » Je m'imaginais ouvrant la fenêtre, humant l'air béni du Sham... Mais qu'en avez-vous fait ? Vous avez tout détruit. En réalité il n'y a jamais d'air frais. Même à 4 heures du matin, pour la prière du fajr, il n'y a pas d'air. Ça sent mauvais tout le temps.

Et je l'ai vu, votre fameux rond-point où vous exposez vos trophées... Je les ai vues, vos têtes coupées. Les visages gonflés, les mouches, l'odeur... Et on se demande : « Qu'est-ce qu'elle a fait cette tête, pour mériter ça ? » Mais on ne pas peut parler. On ne peut rien montrer. Même pas l'étonnement, parce que

---

49. Ville au nord de la Syrie.

vous avez décidé d'éclairer les têtes la nuit, de les faire se refléter dans des boules à facettes. « Allons manger une pizza au rond-point des têtes aux pics... » Vous m'avez apostasiée de ma religion ? Vous m'avez fait mon takfir[50] cent fois, vous m'avez jetée de l'islam ? Pourtant je prie toujours... J'entends les bombes, ma cellule tremble. Pourvu que ça me touche. Allah par pitié, libère-moi.

---

50. Excommunication. Les djihadistes considèrent tous ceux qui ne partagent pas leur point de vue comme des apostats.

Nadia

Nadia rejoint Stéphane et Vivien qui l'attendent pour attraper le train en direction du Sud. Avec Clara, Fathia et Samir, elle doit rencontrer une petite qui rentre de fugue, suspectée de s'être radicalisée car sa sœur et son beau-frère sont déjà chez Daesh. Le directeur de cabinet de la préfecture a programmé un rendez-vous à la mission locale pour que l'équipe puisse la rencontrer tranquillement.

Installée sur un siège à côté d'elle, Clara regarde sa mère, absorbée par l'écran de son ordinateur. Elle connaît bien cette image : que ce soit dans un train, dans une chambre, dans un bureau. Elle se dit en souriant que si elle devait être désembrigadée, il faudrait lui faire écouter le bruit de doigts tapant sur le clavier du Macintosh pour faire remonter ses souvenirs d'enfance et la ramener dans le monde réel...

Nadia a décidé de rencontrer la première échappée de Daesh seule avec Léa. Le rendez-vous est programmé pour le lendemain. Cela inquiète Clara, qui est toujours vigilante. Elle a parlé de ses inquiétudes avec Nina, sa grande sœur, la protectrice de la famille depuis toujours, qui lui a rappelé certaines règles de sécurité et qui a préparé le rendez-vous avec les officiers « anges gardiens ». Nadia se dit qu'heureusement ses filles sont là, car elle a tendance à se laisser emporter par sa passion. C'est ce qui fait sa force, mais aussi sa faiblesse. Elle a tellement l'habitude de dépasser ses limites que parfois, seule une de ses trois filles peut l'arrêter. Ses trois étoiles, comme elle a l'habitude de les appeler, lui montrent le chemin. Trois, car il y a seize ans, une petite dernière est tombée du ciel, comme un cadeau du bon Dieu. Lorsque Nadia avait trouvé ce bébé, encore avec son cordon ombilical, le jour de son anniversaire, elle s'était réconciliée avec la vie. Elle aime remarquer qu'après un premier mari décédé à 25 ans et un second psychopathe, Allah l'avait comblée en lui offrant la troisième fille dont elle avait toujours rêvé, sans qu'elle n'ait besoin d'épouser un troisième malade.

Ses filles sont donc le baromètre de Nadia. Quand il y a un danger, elle peut se fier à elles. Nina et Clara ont gardé cette capacité à sentir le moment où il faut se mettre à l'abri. Quand Nadia avait divorcé, Tony s'était installé dans l'appartement d'un copain. Mais ça ne changeait pas grand-chose. Certes, ils n'habitaient plus ensemble, mais Tony trouvait tous les jours un nouveau prétexte pour débarquer. Une fois pour chercher un jean, une fois pour prendre de leurs nouvelles, vérifier son courrier, etc. Tout le monde répétait à Nadia : « Il faut lui rappeler la loi, lui montrer qu'il n'est pas tout-puissant, ne pas céder. Tous les hommes violents se calment avec la justice, les juges c'est fait pour ça. » C'était facile à dire mais moins facile à faire. Tony se présentait toujours au moment où Nadia ouvrait la porte pour sortir... Elle se retrouvait nez à nez avec lui sans pouvoir faire demi-tour. Il murmurait : « Je veux embrasser mes filles. » Impossible de distinguer dans ses yeux la part de haschich, d'alcool et de médicaments psychotropes. Il n'avait plus de regard.

On dit que toutes les histoires d'amour commencent et finissent par un regard. Là, il n'y avait plus rien. C'était Clara qui sentait toujours les crises de son père arriver avant que lui-même n'en ait conscience. Du haut de ses 10 mois, elle prévenait sa mère et sa sœur par son attitude de repli. Alors Nina connaissait les gestes à faire pour ne pas l'énerver et savait qu'il fallait opérer une retraite. Enfin, Nadia trouvait un prétexte pour esquiver : le pédiatre nous attend pour un vaccin, le garagiste pour la voiture, la maîtresse pour un rendez-vous, etc. Il ne fallait surtout pas essayer de mettre Tony dehors. Nadia le laissait à la maison et en sortait. Lorsqu'elle revenait, il était toujours parti.

À mi-chemin de leur voyage vers le Sud, la mère d'Aïda appelle Nadia en larmes : « Je suis anéantie, elle est repartie pendant qu'on dormait. » Après plus d'explications, Nadia comprend qu'Aïda avait tout programmé. Nadia n'est pas étonnée : jamais la jeune fille ne serait restée séparée de son mari futur martyr. Et au fond d'elle, Nadia se demande avec tristesse si ce n'est pas mieux qu'elle soit repartie. Tant qu'Aïda n'est pas choquée par les exactions de Daesh, tant qu'elle adhère à leur idéologie d'extermination de tous ceux qui ne croient pas comme eux, que faire d'elle ici avec toute cette haine ?

De manière générale, Nadia ne pense pas que ceux qui s'échappent de Daesh sont les plus dangereux. La plupart s'enfuient au péril de leur vie, par déception, par dégoût. Pourquoi reviendraient-ils faire sauter un supermarché français alors qu'ils sont persuadés qu'ils vont faire sauter la terre entière ? Elle pense que ce sont ceux qui n'arrivent pas à partir qui peuvent s'avérer dangereux, s'ils ne sont pas désembrigadés. Résignés, ils se disent qu'ils vont au moins semer la terreur à petite échelle.

Nadia pense au débat actuel sur la gestion des jeunes qui veulent partir. Au départ, la police laissait partir les majeurs en se disant : « bon débarras ». Et puis les juges antiterroristes ont donné l'alerte quand les premiers en sont revenus. Témoins des séquelles que leur séjour chez Daesh avait laissées sur eux, ils pensaient finalement qu'il fallait déradicaliser ces jeunes avant qu'ils n'aient tenu une tête coupée entre leurs doigts. Car dès qu'ils arrivent sur place, c'est là leur rite initiatique. Ensuite, ils ont les mains sales et sont liés au groupe par le sang, avant même de s'être entraînés. Les juges ont alors fait un calcul simple : dix ans de prison pour un jeune de 20 ans, cela le mène à 30 ans. L'enfermement ne prévoit rien pour traiter le traumatisme lié aux actes inhumains qu'il a commis et subis. Que va-t-il devenir ensuite ? Ils ont alors décidé qu'il valait mieux s'occuper de ces jeunes en amont. La politique a donc changé. Contrairement à ce que pensent les parents, les flics essayent vraiment d'arrêter tout le monde maintenant, mineurs et majeurs. Ceux qui arrivent à passer prennent des petites routes qui font le tour du monde avec des faux papiers, des perruques, des lentilles de contact de couleur, des décolletés et des jupes courtes...

Nadia a mal au cœur pour la maman d'Aïda. Les larmes des mères orphelines la bouleversent toujours. Elle a beau avoir rencontré au moins cinq cents parents depuis l'année dernière, elle ressent chaque fois la même souffrance. Nadia se rappelle de ce père en sanglots qui l'avait appelée deux mois auparavant pour parler de sa fille : « Je suis réparateur et je passe de nombreuses heures dans les embouteillages... Je vous ai souvent entendue à la radio, Madame Nadia. Et vous croyez que je vous ai appelée ? Non ! Jamais je ne me le pardonnerai. Dès qu'elle a décroché le tableau du mur du salon, j'ai eu le doute pourtant. Moi je fais ma prière dans le salon depuis vingt ans, Madame Nadia. Je sais bien que dessiner un chameau n'est pas interdit par l'islam ! Je vous avais entendu expliquer aux parents que ces salopards font tout pour isoler nos enfants. Vous avez raison, ils les coupent de tout : l'école, la MJC, la tradition, la culture, la famille ! Tout ça, je le savais... Et pourtant... Ma femme n'arrêtait pas de me raisonner : "Arrête d'être toujours sur son dos, laisse-la vivre, elle est droite, pas d'alcool, pas de cigarette, pas de drogue, pas de garçons, de quoi te plains-tu ? Elle est trop musulmane ? Tu te plains qu'elle soit proche de Dieu ?" Ma femme, elle était fière de sa fille, Madame Nadia. Parce que dans la cité, il y en a tellement qui partent en vrille... Alors je me suis dit que je devais la laisser vivre, que je pouvais lui faire confiance... Et voilà, elle est partie en pleine journée. On s'en est aperçus que le soir. Elle avait déjà passé la frontière... »

Nadia reçoit un texto de Charlotte : Léa a replongé. Nadia lui demande :

Comment ça replongé ?
Elle s'est rebranchée ?
Avec qui ? Des petites comme
vous ou des rabatteurs ?

Un rabatteur. On le connaît
toutes. Il a les yeux verts.

Le Tchétchène ?

Oui.

– Qu'est qu'ils attendent pour le boucler celui-là, grommelle Nadia

Je t'en supplie par Allah, ne dis pas que c'est moi qui t'ai prévenue sinon elle ne me parlera plus et c'est ma sœur préférée.

Je sais ma belle, c'est bien parce que tu l'aimes que tu la sauves. Dieu est témoin.

Barak Allaoufik[51].

Wafik el Baraka[52].

Nadia ouvre sa messagerie qu'elle n'a pas eu le temps de consulter depuis cette nuit : vingt-cinq nouveaux mails et il est à peine 10 h 30.

Deux lycées demandent des interventions (l'Éducation nationale se mobilise enfin pour apprendre à faire la différence entre islam et radicalisme, mieux vaut tard que jamais...), trois instituts de formation pour travailleurs sociaux et deux pour policiers demandent des formations (comment leur dire qu'en ce moment, ce n'est guère possible, qui pourrait-elle envoyer ?), un magistrat et deux journalistes voudraient la rencontrer sans préciser l'objet. La plupart des gens ignorent que chaque minute est comptée, que des vies sont en jeu et qu'elle n'a pas le temps de se poser pour faire de grandes analyses en surplomb et discuter d'hypothèses plus ou moins fiables... Elle

---

51. « Qu'Allah te bénisse ».
52. « Qu'Allah te bénisse toi aussi ».

a également un mail de Fathia, qui lui a envoyé ses nouvelles fiches écrites après ses entretiens avec les cinq dernières familles (au moins elle le fait automatiquement, ça fait plaisir), un du coordinateur du plan antiradicalité qui lui rappelle de faire ses tableaux pour le prochain comité de pilotage (mince, c'est déjà la semaine prochaine ?) et six mails de familles qui ont laissé une demande en passant par leur site :

« Bonjour. Ma nièce âgée de 17 ans n'a pas donné de nouvelles depuis trois jours. Son téléphone est éteint. Depuis quelques mois, elle s'est isolée, s'est voilée tout en noir et parlait d'après sa maman de la Syrie sans que sa maman ne s'en inquiète vraiment. Nous pensons très fortement qu'elle a été endoctrinée et qu'elle est déjà en Syrie. La police a été alertée. Celle-ci a bloqué tous les aéroports mais nous pensons que c'est trop tard. Elle mène en ce moment même une enquête. Meryam est apparemment partie en emportant sa valise et son passeport à l'insu de sa famille. Nous lançons un SOS. Nous demandons de l'aide pour la retrouver au plus vite. Nous vivons un CAUCHEMAR. Que devons-nous faire ? Nous sommes complètement perdus. Merci. »

Nadia transfère le mail à Samy avec un petit mot : « On ne peut rien faire pour eux sinon les écouter et partager leur douleur. Il faut demander le numéro des parents qui doivent culpabiliser de ne pas s'être inquiétés en amont. Ils ont fait la politique de l'autruche et, maintenant, ils vont être encore plus mal que les autres, ce qui est peu dire. Propose-leur de contacter d'autres familles dans le même cas. Sinon, donne-leur les premières instructions pour qu'ils puissent réagir à bon escient quand la petite sortira du maqar : ne pas la raisonner, ne pas la braquer, juste faire fonctionner les affects pour qu'elle rappelle facilement. N'oublie pas de les préparer à l'absence de nouvelles pendant plusieurs semaines, le temps qu'elle soit enfermée au maqar puisqu'ils récupèrent les portables. Tant qu'elle n'est pas mariée et donc sortie du maqar, elle ne pourra contacter personne. Mais ne leur dis pas qu'ils vont la marier. Ce serait trop violent. Attends que les parents demandent au prochain échange comment on peut sortir du maqar... Comme ça tu leur expliqueras progressivement. Bon courage, Samy. Je sais que c'est toujours dur pour toi de revivre ce moment...»

Samy aide de nombreuses familles qui connaissent l'histoire de sa sœur par les différents documentaires qui sont passés à la télévision. Mais parfois la douleur le submerge et il ne le dit pas. Nadia ouvre le deuxième mail :

« Nous sommes les parents d'une jeune femme partie avec ses deux enfants de 3 et 5 ans en Syrie, le 27 octobre au soir. C'était la veille de son anniversaire. Elle a laissé derrière elle deux lettres et une vie dévastée pour ses proches ! Je suis anéantie par son acte et sa radicalisation ! La police n'a rien fait ! Nous les avons tracés par nos propres moyens et sommes certains qu'ils sont en Syrie. C'est le stéréotype parfait de l'endoctrinement, comme dans tout ce que vous expliquez ! Nous sommes effondrés, que faire maintenant ? ? ? ? »

Nadia appuie sur « Transférer », écrit à Samy « Idem... », puis prend connaissance du troisième mail :

« Bonsoir madame, je viens de vous voir la télé et vous écris sur le site indiqué en fin d'émission. Avant tout, bravo pour ce que vous faites.

Nous sommes avec ma femme Nathalie très inquiets de constater des changements radicaux chez notre nièce. En quelques mots, elle refuse nos invitations à des événements familiaux, ne boit plus d'alcool depuis quelques mois, porte des robes très longues et ne se maquille plus du tout, a décidé subitement d'arrêter sa profession d'avocate à 25 ans et veut s'occuper d'humanitaire ou d'enfants en bas âge, a changé de look, utilise des savons calligraphiés coranique, ne se parfume plus, porte régulièrement des turbans et s'est achetée un petit tapis. Et quand je lui dis que je trouve qu'elle se radicalise et que cela m'inquiète car elle ne dit rien, elle me répond de ne pas m'inquiéter. Elle voyage beaucoup depuis un an vers Israël, la Turquie et récemment la Belgique. Je ne sais pas comment elle finance ces voyages. Nous sommes une famille très catholique et je ne sais pas si elle s'est juste orientée voire convertie à l'islam ou bien si c'est plus grave. Son silence m'inquiète. Je crains qu'elle fréquente des personnes qui pour raient l'abuser, mais je me trompe peut-être. Je ne sais pas quoi faire, puisqu'elle n'est plus mineure. Merci de vos conseils. »

Nadia répond à ce monsieur que l'équipe va l'aider à faire un diagnostic pour évaluer s'il s'agit en effet d'une conversion ou si la jeune fille est en début d'endoctrinement. Puis elle transfère le mail à Clara. C'est la plus objective en termes de diagnostic. Méticuleuse et patiente, elle sait poser toutes les questions qui permettent de faire la différence entre conversion et endoctrinement : ne boit-elle plus d'alcool ou a-t-elle jeté toutes les bouteilles d'alcool, y compris les bouteilles de parfum ? Se voile-t-elle ou est-elle niqabée ? Ne leur parle-t-elle plus parce qu'elle les considère comme impurs ou a-t-elle tout simplement peur de ne pas être comprise ? Etc.

Quatrième courriel :

« Madame,

Je vous écris pour avoir un avis. Je suis très inquiète pour mon fils. Nous sommes une famille musulmane. Mon mari est pratiquant modéré et moi-même pas pratiquante. Depuis plusieurs mois, mon fils de 16 ans commence à présenter des signes d'extrémisme sans pour autant devenir agressif. Il est au contraire beaucoup plus conciliant et plus doux et en même temps moins actif et dynamique. C'est comme s'il avait perdu toute son énergie et son entrain. Il refuse d'écouter de la musique sous toutes ses formes, il passe son temps à prier et à jeûner, il délaisse ses études, ses amis, son sport et toutes ses autres activités. J'essaye de le surveiller pour connaître ses nouvelles fréquentations, sans réel succès. Je ne sais pas comment réagir ni comment reprendre mon fils. Merci pour votre aide. »

Dans le train, Nadia regarde Clara qui voyage dans le carré avec elle, en face des anges gardiens.

– Qu'est-ce que c'est pénible d'entendre parler de « musulman modéré ». Habituellement, ce sont les politiques et les médias qui parlent ainsi !

– Et là, c'est qui ? demande Clara, plongée dans l'écriture de leur bilan de fin de trimestre.

– Une mère musulmane *a priori* ! Si les musulmans commencent à s'appeler « modérés » quand ils sont normaux, on n'en sortira jamais ! Personne n'appelle les chrétiens qui ne tuent personne des « chrétiens modérés »... On dirait qu'il faut être juste un tout petit peu musulman pour être civilisé. Être « très musulman », ce serait se rapprocher de Daesh !

Vivien fait les gros yeux, penche la tête vers Nadia et prononce distinctement :

– Pourriez-vous adopter un ton plus modéré et arrêter de hurler le mot « Daesh » dans toute la voiture s'il vous plaît, madame ?

Stéphane réprime un sourire :

– Un jour un gros baraqué va nous tomber dessus en croyant qu'elle fait de la pub pour Daesh...

Clara chuchote :

– À part dire qu'elle est modérée, que veut cette dame ?

– Elle a du mal à analyser l'évolution de son fils : son comportement est positif mais il se met en rupture de ses anciennes activités. Il faudrait approfondir pour comprendre la raison de cet enfermement dans sa bulle : passage pour se ressourcer ou résultat d'un début d'endoctrinement ? Qui peut s'en charger ?

– Je m'en occupe, vu comment son adjectif t'a énervée.

Nadia passe au cinquième mail :

« Bonjour,
Nous sommes une famille triste, dans l'incompréhension et l'impuissance suite au départ de ma jeune sœur partie, il y a presque un an, faire le djihad en Syrie avec son "mari religieux". Depuis, nous avons beaucoup de mal à entrer en contact avec elle. Nous nous sentons seuls face à cette situation. Nous aimerions avoir un soutien et aussi des réponses à nos questions sur ce départ que nous n'avions pas vu venir.
Merci d'avance pour votre réponse. »

Nadia sent son cœur s'alourdir. Elle transfère le mail à Fathia en lui indiquant : « Leur proposer le prochain groupe de parole pour qu'ils se sentent moins seuls et réalisent combien ils sont à vivre le même drame. »

Sixième mail :

« Bonjour,
Je m'appelle Marie, j'ai 17 ans. Je suis convertie depuis deux ans. Je connais une fille *via* Facebook depuis cet été, c'est devenue une amie proche, comme une sœur, elle aussi convertie, depuis un an je crois. Elle a rencontré des problèmes avec sa famille et elle vient de m'annoncer qu'elle souhaite partir en Irak ou en Syrie l'année prochaine. Un garçon est venu lui parler et lui demande de se marier avec lui là-bas... Je ne suis pas d'accord : l'islam ce n'est pas ça, c'est une religion de paix et de soumission envers le créateur. Le djihad avec l'épée c'était pour se défendre au temps du prophète Mohamed, *aleyi salat wa salam*[53]... J'essaye de la raisonner, mais elle veut partir quand même... En plus, si ça se trouve, ce garçon n'existe pas, c'est peut-être un simple rabatteur. Pouvez-vous m'aider SVP ? Il n'y a que vous qui pouvez comprendre.
Marie. »

Ce genre de mail redonne de l'énergie à Nadia. D'une part, parler avec des personnes qui raisonnent encore lui fait du bien. D'autre part, le fait de participer à cette chaîne humaine qui se tisse entre parents ou entre jeunes la touche toujours. Elle transfère le mail de Marie à Samia, dont la nièce a été embrigadée puis sauvée. Elle passe bien auprès des jeunes, qui sentent à quel point elle est authentique.

Un autre mail est arrivé. Nadia clique à nouveau sur la messagerie de son ordinateur portable. Vite, car le train va bientôt entrer en gare.

---

53. « Paix et Bénédiction sur lui. »

« Bonjour,
Je me permets de vous écrire car je suis très inquiète pour ma fille qui faisait de brillantes études en classe prépa. Elle s'est convertie à l'islam, puis a stoppé ses études du jour au lendemain, s'est mariée, n'écoute plus de musique, ne va plus au cinéma, ne voit plus personne... Elle porte un grand voile noir qui ne laisse voir que les yeux et refuse de sortir dans la rue si elle ne le porte pas. Elle ne parle pas de la Syrie mais je suis néanmoins en état de choc en constatant la transformation rapide de mon enfant. Dès que je m'oppose, elle se braque. Je lui dis mon désaccord mais cela ne change pas sa position. Elle me répond que c'est son choix. Que dois-je faire ? Quelle attitude avoir pour ne pas accentuer sa radicalisation ?
Merci de m'aider, je suis désemparée.
Cordialement. »

C'est le type de situation qui embête le plus Nadia. La jeune fille est vraisemblablement tombée sur un groupe très rigoriste qui la coupe de la société, donc il est clair que c'est un fonctionnement de type sectaire. Mais le désembrigadement que l'équipe opère ne fonctionne que lorsque le jeune poursuit une utopie que Daesh lui fait miroiter : régénérer le monde, rejoindre une terre paradisiaque, combattre les soldats de Bachar al-Assad, sauver des orphelins, etc. Dans ce cas, les témoignages des uns et des autres peuvent ramener le jeune dans le monde réel et lui prouver les mensonges de Daesh. Mais un jeune qui n'a pas d'utopie, qui est tout simplement éteint par un mouvement sectaire... comment le ramener à la vie ? Sur les cinq cents familles qui les ont contactés, une centaine est dans ce cas. Nadia en vient à préférer un jeune décidé à partir combattre. Au moins, elle peut agir... Elle marque le message comme « Non lu(s) », pour qu'il reste en gras.

Jahina

Arrivée à la mission locale, l'équipe comprend au premier coup d'œil que Jahina n'est pas radicalisée. D'abord son regard : la vie sort de ses yeux comme un rayon de soleil. Aucun embrigadé n'arrive à garder cette vitalité, même avec la meilleure des dissimulations. Leur regard est toujours voilé de mort et on a l'impression qu'ils ont été hypnotisés. Ensuite, son allure : Jahina est une jeune fille coquette qui a attentivement assorti la couleur de son foulard à sa chemise. C'est bien un individu à part entière qui se présente aujourd'hui devant l'équipe. Jahina est agressive au départ, ce qui confirme le diagnostic de non-radicalité :

– Je ne sais pas qui vous êtes, mais je vais vous redire la même chose qu'aux flics : on ne choisit pas sa sœur et encore moins son beau-frère. D'accord, ils sont partis en Syrie, mais ils n'ont prévenu personne. Ni mon père, ni ma mère, ni moi. Et moi je suis moi, et ma sœur elle est elle. Nous sommes deux personnes différentes. Quant à ma fugue, c'est un problème entre mon père et moi, ça ne regarde que nous !

Nadia lui demande si elle a déjà eu plusieurs entretiens avec la police à ce sujet.

– C'est tous les jours ! On me demande tout le temps pourquoi je reste en contact avec ma sœur par Internet ? C'est pas ce que vous recommandez ? De rester en lien avec ceux qui partent ?

Nadia comprend que Jahina sait donc très bien qui ils sont, elle et son équipe. Elle les a lus pour appliquer leurs conseils...

– Si, c'est même ton devoir, Jahina.

La jeune fille se calme. Nadia reprend la parole :

– C'est ta fugue qui a mis le feu aux poudres. Si tu es désignée « présumée embrigadée » à cause de ta sœur, ton départ du domicile familial a dû angoisser tout le monde...

– Mais non... Mon père sait très bien qui j'ai rejoint... Il se sert de la police pour me fliquer mais il sait parfaitement que je connais trop bien mon islam pour partir en Syrie. Trop bien, même... Il aimerait bien me faire croire n'importe quoi quand il s'agit de vouloir choisir mon mari à ma place...

Fathia lui pose la main sur le bras :

– T'es amoureuse d'un garçon qu'il t'empêche de fréquenter ?

Jahina ne peut s'empêcher de réprimer un sourire.

Samy s'esclaffe, oubliant que Stéphane et Vivien sont aussi des flics :

– Super les flics du Sud ! On a fait 500 kilomètres pour finalement constater qu'une jeune fille est tout simplement musulmane, ni plus ni moins, pendant que les autres continuent à tomber dans l'épidémie ! C'est bizarre, ici, vu comment le territoire est touché, ils connaissent bien le radicalisme pourtant !

Stéphane commente :

– Tous n'ont pas suivi trente fois de suite les formations de Nadia. Ils n'ont vu que le foulard et le maintien du lien avec la sœur. Personne ne fait la différence entre foulard et jilbab. Ils mettent tout ce qui se met sur la tête dans le même sac.

– Un sac poubelle, précise Vivien, avec son humour pince-sans-rire.

– Ensuite, ils sont loin d'imaginer qu'elle garde le contact avec sa sœur pour la maintenir dans le monde réel..., reprend Stéphane. Pour eux, si tu gardes le contact avec un terroriste, tu es toi-même un terroriste. Ils ne connaissent pas les petites madeleines de Nadia.

Nadia sourit. C'était le titre d'un article de presse : « Les petites madeleines pour désembrigader ». C'est le nom que l'équipe a donné à la première étape de désembrigadement qui consiste à demander aux parents d'évoquer des souvenirs pour que l'enfant se replace dans sa filiation et quitte son groupe de substitution, qu'il imagine sacré et supérieur.

Fathia reprend :

– Donc ton père te fait croire qu'au nom de l'islam tu n'as pas le droit de fréquenter ton amoureux avant le mariage, c'est bien ça ?

Jahina acquiesce. Son père mélange les traditions machistes de son village d'origine et la religion. Elle a tout à fait le droit de fréquenter ce garçon pour apprendre à le connaître, du moment qu'elle ne couche pas avec lui. Mais il n'y a pas que cet aspect qui coince. Son père rêve de la marier avec un cousin germain. Elle finit par raconter qu'elle a été placée par le juge des enfants l'année précédente à sa demande, pour fuir ce mariage arrangé. Mais le placement s'est mal passé. Jahina déstabilisait les éducateurs car elle reliait son émancipation aux préceptes de l'islam. La « coloration spirituelle » de sa rébellion leur semblait à tous pour le moins contradictoire. À première vue, il était évident pour eux qu'elle devait plutôt prendre du recul vis-à-vis de sa religion pour augmenter sa liberté de penser et trouver sa propre voie. Jahina ne partageait pas cet avis. Elle remettait en question les traditions de ses parents « au nom de l'islam », en estimant que ces traditions provenaient de la culture de leur village et n'avaient rien de « divin ». Pour prouver que l'égalité hommes-femmes figurait dans le Coran, elle racontait la version musulmane d'Adam et Ève : en islam, ce n'est pas Ève qui a fait manger la pomme à Adam, ils l'ont mangée ensemble. Leur responsabilité est commune dans le partage de ce péché, le sexe ne l'a pas déterminé. Et Ève n'est pas née de la côte d'Adam ; ils sont tous deux sortis de la même âme[54].

Nadia est trop heureuse d'entendre une jeune fille brillante parler d'islam avec intelligence. Jahina se met ensuite à parler de Khadija, la première femme du Prophète : elle était sa patronne, une veuve de quinze ans son aînée, qui l'avait elle-même demandé en mariage :

– Avant, elle préférait rester seule plutôt que de se remarier une troisième fois, fait remarquer Nadia.

– Oui. Avec sa beauté, son intelligence et la réussite de son commerce, les prétendants ne manquaient pas... Mais elle ne

---

54. On ne retrouve pas dans le Coran de récit qui ferait naître la femme de la côte d'Adam ou la ferait naître en second. Le Texte présente la création du premier couple humain comme issu d'une même matière. Il s'agit du verset central de la sourate an-Nisâ' (4/1) : « Ô hommes ! Craignez votre Seigneur qui vous a créés d'un seul être (*nafsun wâhida*) et qui, ayant tiré de celui-ci son épouse (*zawjahâ*), fit naître de ce couple tant d'êtres humains, hommes et femmes ! » Cela n'a pas empêché les radicaux de dire le contraire.

savait pas comment distinguer celui qui l'aimait pour ce qu'elle était de celui qui désirait ce qu'elle avait, renchérit Jahina.

– C'est dur de connaître vraiment quelqu'un, dit doucement Nadia.

– C'est après que le verset est descendu [55] : « Il faut essayer de tourner le dos à ceux qui ne protègent que leurs intérêts, leurs pouvoirs ou leurs plaisirs éphémères [56]. »

– « Tourner le dos », oui, répète Nadia.

Jahina est lancée :

– De toute façon, à cette époque préislamique, qu'elles soient dépourvues ou comblées de richesse, les femmes n'étaient que des objets dont les hommes disposaient. Combien étaient abusées physiquement, puis laissées ainsi, sur le bord du chemin ? Sans compter celles que l'on enterrait vivantes, dès la naissance...

Nadia, Samy, Fathia, Zahra, Samia Clara et Jahina retracent l'histoire de Khadija devant Stéphane et Vivien qui écoutent attentivement, petite parenthèse dans un emploi du temps habituellement rythmé par la terreur et la souffrance... Le prophète travaillait pour Khadija qui lui avait confié une de ses caravanes qu'il fallait mener jusqu'en Syrie. Elle avait confiance en lui car il était désintéressé. Khadija ne fut pas surprise de voir qu'il avait doublé ses gains habituels à son retour. Lorsqu'elle prit tout son courage pour envoyer sa servante Nufaisah demander sa main, Mohamed répondit :

---

55. On dit qu'un verset « descend » car pour les musulmans, il est la parole de Dieu, transmise par l'ange Gabriel au prophète Mohamed, pendant 23 ans.
56. Coran, 53, 29.

« Khadija ? Impossible qu'elle accepte : tous les riches de la ville l'ont recherchée et elle n'a fait que refuser... » C'était particulièrement élégant de retourner la situation, car les usages de l'époque voulaient que ce soit l'homme qui demande sa femme en mariage, pas le contraire.

– Encore maintenant, précise Jahina.

– Khadija a été la première musulmane, murmure Nadia. On n'en parle pas beaucoup dans le « catéchisme » musulman...

– Pourtant, oui, elle a eu un rôle décisif, confirme Jahina. Quand Mohamed s'est isolé dans la grotte et a entendu la voix de Dieu, il s'est demandé s'il devenait fou. C'est elle qui l'a rassuré. Elle a été la première à comprendre que Dieu l'avait désigné pour sa troisième révélation. Ensuite Khadija l'a accompagné et soutenu jusqu'à sa mort.

– Et après, il est quand même devenu polygame, la coupe Stéphane.

– Des tas de peuples sont polygames ; en Afrique, il existe des chrétiens polygames, personne n'en parle ! nuance Vivien.

– Il est devenu polygame uniquement quand il est devenu chef politique, lors de son exil, répond Samy.

– Sa polygamie n'était qu'une stratégie politique pour faire alliance avec toutes les tribus afin d'obtenir la paix, pas un choix marital, encore moins sexuel, ajoute Nadia.

– Et même à cette époque, aucune femme n'était mariée de force, renchérit Jahina.

– C'est du moins ce que préconisent les textes... Non seulement l'islam demande le consentement aux femmes, mais théoriquement, elles peuvent aussi demander le divorce. C'est logique, puisque pour nous, le mariage est un contrat.

– Ça n'est guère appliqué, remarque Jahina. Les musulmans se fichent de l'islam, ils s'en servent, c'est tout.

– Tu n'imagines pas à quel point.

Jahina est étudiante en sciences de l'éducation et veut faire un travail sur le féminisme musulman. La place des femmes auprès du Prophète la passionne, d'autant que les savants les ont progressivement évacuées des récits. Le second amour du prophète fut Aïcha. Les récits occidentaux ne retiennent que son jeune âge lorsqu'elle fut promise. Pourtant, elle ne s'est mariée que plus tard et a surtout été une brillante enseignante, particulièrement recommandée par son mari, le Prophète lui-même. Comment expliquer que de nombreuses femmes soient encore privées d'école et de carrière professionnelle dans certains pays musulmans ? Comment comprendre que les parents de Jahina puissent vouloir la marier de force ? Pour préparer son mémoire professionnel, elle veut travailler sur le rôle des femmes dans l'interprétation de l'islam, mais ne sait pas encore exactement comment s'y prendre...

En partant, chacun échange son numéro de téléphone. Nadia promet d'aider Jahina dans son écriture. Pour l'instant, elle doit réussir avec brio son master. Pour être une bonne musulmane, il faut avoir au minimum bac + 7 : « La recherche du savoir est une obligation pour tout musulman et toute musulmane[57]. » Tout le monde s'embrasse bien fort. Le train repart dans trente minutes.

À peine assise dans le wagon, Nadia reçoit un texto de Charlotte :

---

57. Hadith.

Salam Nadia. Ce soir j'ai craqué avec mes parents. Parce qu'on a parlé de religion. J'ai senti que je m'étais énervée. J'ai eu une rechute. Mais je me suis rendue compte que je n'étais plus moi-même. De plus j'ai compris pourquoi ma mère ne veut pas que je me réintéresse à l'islam pour l'instant, car elle voit que j'ai encore cette fascination pour la religion qui est dangereuse. Elle préfère que je sois vraiment sortie de ce fanatisme et que mes mauvaises idées et pensées soient vraiment parties. Maman ne veut pas m'interdire d'être croyante mais elle me sent trop fragile pour l'instant.

Salam Charlotte. C'est bien que tu aies senti que tu glissais. C'est un énorme progrès, tu reviens de loin... Une chose est sûre, ta maman sait ce qui est mieux pour toi, mieux que personne d'autre, prends soin de toi...

Merci d'être là pour ma maman.

Puis il y a trois cœurs roses et une bouche qui fait un bisou.

Elle t'aime beaucoup et elle est très fière de toi. Prenez soin l'une de l'autre.

Elle est mignonne, se dit Nadia. En rangeant le portable, elle se rappelle qu'elle doit appeler Inès au centre éducatif fermé. Son contrôle judiciaire est sévère : pas de sortie et pas de visite. Seuls ses parents et Nadia peuvent l'appeler quelques minutes par semaine. Inès ne se plaint pas. Elle sait qu'elle va mieux parce qu'elle est privée d'Internet. Mais elle aime prendre des nouvelles des autres rescapées en attendant de les retrouver.

Nadia

Zahra a demandé une semaine de vacances à Pâques pour ne pas être localisable et se trouver ainsi dans l'obligation de confier son bébé à Sophian, qui bénéficie de son droit de garde durant cette période. Nadia le lui a accordé volontiers, jusqu'à ce qu'elle lui dise où elle partait : en camping. Cette nouvelle a glacé Nadia, qui s'est précipitée vers ses filles pour qu'elles la raisonnent. Ce qu'elles ont fait : Nadia ne devait pas reporter sur Zahra ce que leur famille avait vécu. Il faut dire qu'elle en avait cauchemardé pendant des années.

C'était l'été où Tony avait écopé de quatre mois de prison pour violences familiales. Il lui écrivait une lettre d'amour par jour, lui disant comment, grâce à elle, il savait qu'il pouvait changer. Qu'elle avait été la première à lui faire confiance. Combien il était heureux d'être enfermé, contenu ; ça le rassurait, lui permettait de faire le point. Il se rendait à l'évidence : il était malade. Là, il se sentait serein, comme sous Tranxène à l'hôpital. Il faisait beaucoup de sport. Elle ne devait pas s'inquiéter pour lui... La liberté lui faisait peur. Ce n'était pas normal. Il allait se soigner, entamer une psychothérapie. D'ailleurs il avait commencé. Il voyait le psy deux fois par mois. Ça le soulageait. Est-ce qu'elle était encore là ? Elle était son ange, la seule qui puisse le sauver du mal.

Nadia avait acheté une vieille caravane avec ses premières paies. À l'époque, elle avait l'âge de Zahra. Nina et Clara se reconstruisaient doucement. Elles avaient trouvé un petit chien qu'elles adoraient et avaient appelé Helma. Elles étaient toutes les trois excitées à l'idée de partir camper. Elles avaient opté pour l'inconnu – la Camargue – et avaient pris la route en chantant à tue-tête *Je te survivrai*, le tube de l'été.

Ça s'était passé le troisième soir.

Elles revenaient de la piscine, joyeuses, les yeux rouges de javel, après avoir dansé dans les rues de Saintes-Maries-de-la-Mer sur la musique des Gipsy Kings. En rentrant, Nadia avait évité la caravane d'à côté. Elle n'aimait pas l'homme qui y logeait avec un groupe de motards qui amassait les bouteilles de bière. L'odeur de l'alcool lui rappelait Tony. Nina s'était assise sous l'auvent pour commencer son cahier de vacances, avec Clara à ses côtés qui tentait d'attraper ses stylos. Et là, Nadia avait vu Tony arriver de loin avec un grand sourire : « Mes chéries... »

Ça lui avait fait un choc de le voir alors qu'il était censé être en détention. Qu'est-ce qu'il faisait là ? Comment avait-il fait pour les trouver ? Étaient-elles suivies sans arrêt ? Tony les avait embrassées puis s'était tourné vers Nadia en posant un gros sac, toujours aussi rayonnant :

– Je suis si heureux d'avoir été libéré ! Je vais profiter un peu avec vous et je chercherai du travail plus tard...

Nadia était liquéfiée. L'ambiance était bizarre. Puis Tony avait aperçu Helma et ses pupilles étaient devenues fixes.

– C'est quoi ça ?

– Un petit chien que nous avons recueilli pour le soigner. Les filles l'adorent...

– Les filles adorent un chien ? Tu as pris un chien pour qu'elles oublient leur père ?

Nadia avait vu une drôle d'expression se dessiner sur le visage de Clara. Elle avait juste eu le temps de penser : « Oh non pas ça », mais c'était trop tard. Il avait attrapé le chien par la queue et l'avait violemment balancé dans la caravane. Helma avait poussé un cri strident, Tony avait bondi derrière lui en hurlant :

– Je vais tout faire brûler, la caravane et le chien.

Instinctivement, les filles s'étaient levées et avaient entouré leur mère. Elles se tenaient toutes trois à la limite de l'auvent mais n'osaient pas partir en courant, le chien étant avec Tony à l'intérieur de la caravane. Clara était au bord de l'étouffement tant elle pleurait et Nina la tenait fort contre elle, pour l'empêcher de rejoindre le chien à l'intérieur.

Le mec de la caravane d'à côté que Nadia n'aimait pas s'était approché :

– Qu'est-ce qui se passe ici ?

Tony avait répondu en hurlant de rage :

– Cette salope a pris un chien pour que ma fille m'oublie !

Sans marquer la moindre surprise, le mec que Nadia n'aimait pas avait répété :

– Cette salope a pris un chien pour que votre fille vous oublie ?

Sur le pas de la porte, Tony avait continué, les yeux exorbités :

– Oui. Je vais tout faire cramer : le chien et la caravane !

Clara, qui s'était un peu calmée, était reprise de spasmes de larmes, en duo avec Nina qui, cette fois-ci, ne pouvait plus se retenir.

Le mec que Nadia n'aimait pas s'était tourné vers elle et avait dit à mi-voix :

– C'est votre mari ? Il ne faut pas vous laisser faire.

Elle avait répondu comme un automate :

– On est divorcés. Il sort de prison, parce que j'ai déjà porté plainte.

Le mec avait dit :

– Ah ouais, c'est plutôt un bon service psy qu'il lui faudrait. Profil paranoïaque. Je suppose que vous voulez récupérer le chien vivant ? Ça va prendre du temps...

Nadia avait dégluti. Elle avait vécu pas mal de situations surréalistes mais elle arrivait encore à se laisser surprendre.

Il lui avait alors désigné Clara :

– C'est elle sa fille ?

Puis il s'était accroupi pour être à la hauteur de la petite et lui avait dit :

– Je vais tout faire pour aller chercher ton chien. Il faut me faire confiance. Est-ce que tu me fais confiance ?

Clara avait hoché la tête en ravalant ses sanglots.

Il avait ensuite regardé Nina :

– Et toi, la grande, est-ce que tu me fais confiance ?

La réponse avait été moins franche, mais il s'en était contenté.

Enfin il s'était retourné vers Nadia :

– Et vous ?

Ça l'avait fait sourire, c'était nerveux :

– Est-ce que j'ai le choix ?

– Oui, on a toujours le choix. Vous pouvez choisir de partir. Je le retiens. Mais vous pouvez aussi récupérer ce qui est à vous et partir avec. Ne pas céder.

– Vous feriez quoi à ma place ?

– Les hommes violents ne tapent pas leurs femmes pour qu'elles partent, ils tapent pour qu'elles cèdent.

– Et comment vous allez faire pour que ce soit lui qui cède ?

– Je ne sais pas. Lui donner l'impression qu'il domine. Il faut me faire confiance.

Pendant qu'ils échangeaient, Tony insultait Nadia de tous les noms et la menaçait des pires tortures. Les filles avaient recommencé à sangloter et la moitié du camping s'était à présent regroupée derrière elles. Des femmes avaient approché les filles pour tenter de les calmer avec des bonbons, des gâteaux, des jouets... Ça ne marchait pas mais ça permettait à Nadia de se concentrer sur la décision qu'elle devait prendre. De temps à autre, Tony brandissait le chien par la petite fenêtre avec un briquet allumé à la main et on entendait un mélange de menaces et de bruits sourds. Le danger se sentait au lourd silence qui s'était abattu sur les gens.

Un autre motard de la caravane s'était approché :

– Tu envoies qui ? Sergio ou moi ?

Le sauveur que Nadia n'aimait pas lui avait répondu :

– Depuis quand tu arrives à trouver le bon ton pour négocier quand il y a du public ?

L'autre avait maugréé :

– OK, mais c'est un parano, t'es pas assez costaud pour qu'il se sente valorisé. Il faut quelqu'un de sa taille.

– Ouais. Dis à Sergio qu'il va entrer en scène.

Tony ne se calmait pas du tout. Nadia avait risqué d'une petite voix :

– Il s'énerve de plus en plus...

– C'est bien, il faut qu'il se fatigue. Il se vide et il s'épuise. C'est mon but.

Le Sergio en question s'était alors approché de Nadia :

– Parlez-moi de lui...

Ensuite il s'était raclé la gorge et avait demandé posément :

– Monsieur vous m'entendez ? Je m'appelle Sergio. Je suis de la caravane d'à côté.

– Va te faire enculer, Sergio !

– Je comprends que vous êtes très en colère...

– Va te faire enculer, fils de pute !

– Je comprends, vous êtes particulièrement en colère...

Tony s'était remis à vociférer des menaces contre Nadia en racontant plein de mensonges. Elle allait ouvrir la bouche pour répliquer quand elle avait reçu un ordre :

– Surtout ne répondez pas, cela alimenterait le conflit. Si vous répondez, *lui* entend des voix qui l'agressent. Plus vous parlez, plus il est agressé, plus il est agressif.

Très bien. Tout le camping devait donc entendre qu'elle n'était « qu'une bâtarde qu'il avait trouvée dans un caniveau »...

Sergio reprenait chaque phrase de Tony en écho. « Ah, votre femme est une bâtarde que vous avez trouvée dans un caniveau... » Le sauveur avait senti que Nadia était tendue et lui avait mis la main sur l'épaule. Tony s'était mis à hurler :

– Touchez pas à ma femme ! Je peux tous vous buter, si je veux, je ne crame pas que la caravane, je vous bute tous ! Je peux tout exploser !

Il y avait eu un mouvement dans la foule amassée. Quelqu'un avait dit : « Qu'est-ce qu'ils foutent les flics ? » Un autre avait répondu : « Eux, ils sont flics, ils sont experts, faut pas bouger. » En fait, ils étaient loin derrière. Un troisième motard avait fait reculer tout le monde.

Sergio avait répondu, avec la même voix toujours posée :

– Je sais que vous êtes le plus fort, pas la peine de le montrer, je vous crois sur parole.

Tony avait ri :

– Elle vous a raconté ?

– Bien sûr, tout le monde le sait !

Le sauveur avait expliqué à Nadia :

– Sergio désamorce : il lui fait croire qu'il a les cartes en main.

– Et il ne les a pas ? avait demandé Nadia, d'un ton un peu sarcastique.

– Non, il fatigue... Il va bientôt commencer à douter. Et alors, tout doucement, on va le ramener à la réalité. Les personnalités paranoïaques sont sourcilleuses, il faut les respecter même si elles sont ignobles, pour provoquer un effet miroir. Celui qui gagne est toujours celui qui maîtrise ses émotions.

Effectivement, Tony s'était tu. Mais la peur de Nadia augmentait avec le silence. Celle des filles aussi. Nina craquait littéralement. Clara, épuisée, avait l'air d'une somnambule, pleurant à moitié assise sur les genoux d'une dame qui chantonnait à mi-voix. Nadia s'était mise à bercer Nina, se berçant elle-même par la même occasion. Elle avait supplié les policiers :

– Laissez tomber, je n'en peux plus. On s'en va finalement. On va céder, une fois de plus ou de moins, ça ne changera rien. Vous ne serez pas toujours là, il nous retrouvera.

– Non, madame, c'est trop tard. Et c'est bientôt fini. Vous allez partir, mais avec la caravane et le chien. Tenez le coup. Après ça, il ne pleurera plus. Ce sera frontal mais au moins, vous saurez qu'il n'est que votre ennemi.

Nadia n'avait jamais pu remercier cet homme. Sergio avait continué le dialogue avec Tony et ils avaient parlé de la prison. Puis Sergio lui avait demandé si le chien pouvait sortir. Tony n'avait pas répondu. Nadia avait trouvé ça un peu bête : comme si Tony allait tout d'un coup devenir humain. Mais Sergio continuait, sans relâche. Il lui disait qu'il ne rentrerait pas de force dans la caravane mais que si le chien pouvait être libéré, cela ferait plaisir à tout le monde, surtout aux enfants. Ils ont parlé des filles. Nadia s'était aperçue qu'ils se tutoyaient. Et puis était arrivé le moment où Tony était sorti comme si de rien n'était et il avait tapé sur le dos de Sergio, comme à un vieux pote...

Nadia s'était retrouvée avec les enfants dans sa voiture, avec un policier au volant qui lui avait dit :

– Je fais quelques kilomètres avec vous. On va le mettre à l'abri pour la nuit, vous irez porter plainte demain matin quand vous serez chez vous.

En vérité, il avait roulé longtemps. Nadia s'était assoupie, comme les enfants et le chien, roulés en boule les uns contre les autres à l'arrière. La caravane était toujours là, derrière eux. Une certitude accompagnait Nadia dans son sommeil : les sanglots étouffés des filles étaient des plaies qui ne se referme-raient jamais. C'était la pire des cruautés. Ça valait mille nez cassés. Elle n'était pas responsable de la violence de Tony, elle ne céderait plus. Cette soirée avait changé sa vie pour toujours. Cette soirée avait changé leur vie pour toujours.

C'est suite à cet été-là que Nadia avait embrassé l'islam. L'imam qui était présent pendant qu'elle récitait sa profession de foi n'avait jamais accepté de dire qu'elle était convertie, parce que son père était musulman. « Tu es une musulmane qui s'ignore », lui avait-il dit. Toujours est-il qu'après l'histoire du camping, Nadia était passée de croyante à musulmane. Et cette relation à Dieu l'avait tant ressourcée qu'elle avait eu la force de divorcer. Elle et ses filles iraient de l'avant. Elles n'étaient plus seules. Pour la première fois, quelqu'un s'était élevé contre Tony et les avait protégées. La chaîne humaine venait de s'incarner.

Hanane

Zahra est bien partie dans son camping. Reparler avec Nina et Clara du cauchemar vécu il y a vingt ans a fait du bien à Nadia et l'a rassurée. Elle perçoit tout à coup bien mieux comment la chaîne humaine peut briser le cercle de l'emprise. Celle de Tony sur elle. Celle de Sophian sur Zahra. Celle des rabatteurs de Daesh sur leurs proies. Elle n'avait jamais réalisé qu'elle avait elle aussi été sous emprise.

Une préfecture a signalé qu'une première jeune fille prénommée Hanane avait réussi à s'échapper de Syrie. Elle est dans un triste état, à la fois physique et mental. Personne ne sait comment elle a réussi à fuir. Jusque-là, aucune fille seule, en dehors d'Aïda pour le bref intermède qu'on sait, n'était rentrée vivante. Depuis son retour, Hanane ne parle à personne et reste recroquevillée dans son niqab. Ses parents n'arrivent pas à l'approcher. Elle passe ses journées dans sa chambre, volets fermés. Nadia va donc y aller avec Léa pour la remettre face à la réalité de Daesh.

Léa est en pleine zone grise. C'est ainsi que l'équipe appelle cette période durant laquelle les jeunes font le deuil de leur utopie sans pour autant revenir vraiment dans le monde réel. Qui croire ? Comment se faire confiance ? Où est le vrai ? Où est le faux ? Ils sont dans le flou le plus total. L'expérience montre qu'il faut compter six mois pour les stabiliser pour de bon. C'est plus rapide de tomber chez Daesh que d'en sortir.

Charlotte lui a envoyé un texto à 6 heures du matin :

> Nadia, si mon père critique ma religion, comment dois-je réagir ?

Nadia a marqué une hésitation. L'objectif n'est pas de devenir le juge de conscience de Charlotte. En même temps, elle sait qu'il faudra du temps à la jeune fille pour réapprendre à penser, à raisonner... Elle ne veut pas la laisser dans le vide et décide donc de ne pas vraiment donner son avis mais de citer le Coran, ce qu'elle ne fait que très rarement :

« Et si Dieu l'avait voulu, il aurait fait de vous une seule et même communauté. Mais il a voulu vous éprouver pour voir l'usage que chaque communauté ferait de ce qu'il a donné. Rivalisez donc d'efforts dans l'accomplissement des bonnes œuvres (5/48). »

Nadia est certaine que personne n'a jamais cité ce verset à Charlotte.

Cette dernière met trois minutes à lui répondre. Elle a dû aller vérifier dans le Coran, et c'est pour cette raison que Nadia a indiqué le numéro de verset entre parenthèses. Elle reçoit trois petits cœurs roses. Objectif atteint.

Nadia rejoint Stéphane et Vivien pour partir chez Hanane. Léa sera accompagnée par sa mère. Une femme habillée d'un tee-shirt et d'un jean, cheveux courts à la garçonne, les accueille, en précisant que son mari n'a pu se rendre disponible à cause du travail. Nadia entend crier, du fond de la maison. Il y a aussi des bruits sourds, comme si quelqu'un jetait des objets à terre. La mère de Hanane prend sa tête entre ses mains et murmure :

– C'est comme ça depuis l'interrogatoire de la DGSI. Ils me l'ont gardée deux jours et deux nuits. Je ne sais pas ce qu'ils lui ont dit, mais depuis elle croit que je suis une espionne du gouvernement, moi, sa propre mère... Par moments, j'ai l'impression que ça va mieux, notamment quand elle est dans sa chambre.

– C'est parce qu'elle retrouve ses repères d'avant son départ, explique Nadia.

– Les premiers jours, dès qu'elle quittait sa chambre, ça recommençait. L'autre soir, elle est sortie sans prévenir, comme un fantôme. Heureusement, je l'ai retrouvée assise sur un banc devant le supermarché, les yeux dans le vide ; elle riait toute seule.

– Il faut peut-être envisager de l'hospitaliser. Vous a-t-elle raconté ce qu'elle a vécu là-bas ?

– Elle n'a pas dit un mot mais elle n'était pas comme ça avant l'interrogatoire de la DGSI. J'ai plutôt l'impression que ce sont eux qui l'ont abîmée. Ils m'ont pris une morte, ils m'ont ramené une folle.

– Elle doit accumuler une succession de traumatismes, je suppose. D'autres jeunes ont subi cet interrogatoire et ne sont pas devenus fous. Après, c'est vrai que chaque équipe a sa propre méthode. Je connais un jeune qui a été menotté à la frontière syrienne et pour qui l'interrogatoire a été très positif :

ça l'a aidé à y voir plus clair, il s'est senti reconnu dans ce qu'il avait vécu. J'en connais un autre qui l'a très mal supporté : ils lui ont demandé pendant des heures si le sang des mécréants le faisait saliver... Je suppose que ça dépend aussi de l'attitude du jeune, s'il collabore ou non. Quoi qu'il en soit, ils ont besoin de cueillir les jeunes à chaud pour reconstituer le puzzle des filières avant qu'ils n'aient le temps de trop réfléchir à leur version...

– C'est sans doute normal, mais c'est dur, dit la mère en essuyant ses larmes.

Léa attrape le foulard qu'elle a autour du cou et le pose délicatement sur ses cheveux.

– Il n'y a pas d'homme ici, lui dit la mère de Hanane.

Léa répond tout bas :

– C'est pour Hanane que je le mets, pour la rassurer. Elle va me reconnaître et comprendre que je suis une sœur.

Nadia lui pose la main sur le dos et la pousse délicatement vers le couloir :

– Vas-y. Tu ouvres tout doucement la porte et tu lui dis : « *Salam aleykoum oukhty...* ». Elle est violente parce qu'elle a peur. Rassure-la et elle se calmera. Tu peux même te mettre à genoux si elle est par terre.

Nadia lui emboîte le pas. Stéphane, qui jusque-là était resté en retrait avec Vivien, se retrouve face à elle en une fraction de seconde :

– Vous allez où là ?

Nadia le regarde et marque un temps avant de comprendre le sens de sa question. Elle hésite un peu et répond :

– On est obligé d'aller vers elle... De toute façon, elle sort de la DGSI, donc elle a été fouillée...

Stéphane baisse la voix et lui dit :

– Elle est dans sa chambre, Nadia, dans sa chambre : dans son univers quoi... Je vais entrer avec vous. Faites-moi confiance, elle ne me verra pas.

À mesure qu'ils approchent, le son des sanglots de Hanane est de plus en plus distinct. À peine Léa a-t-elle prononcé sa salutation que Hanane se jette dans ses bras et y reste agrippée un long moment.

Puis elle embrasse Nadia, qui ramène progressivement les deux jeunes filles vers le lit où sont installés des coussins.

– J'ai demandé à Léa de venir avec moi parce qu'elle a encore des moments où elle a envie de partir, précise Nadia.

– Ah ! non, ne fais pas ça ! réplique immédiatement Sophia. Il n'y a pas d'islam là-bas, ni de prince qui nous protège. Surtout nous, les Françaises, on est vues d'emblée comme des fornicatrices. Surtout que toi tu es une pure française !

– Mais c'est l'émir aux yeux verts qui m'a contactée. Il est bien placé dans le commandement de la Dawla. S'il meurt, j'aurais le statut de veuve noire, avec tous les privilèges qui me seront dus.

Hanane la regarde, abasourdie, et cesse immédiatement de pleurer.

– Mais tu t'imagines que c'est *Plus belle la vie* là-bas ? Ton prince aux yeux verts, ce n'est qu'un passeur. Il n'est même pas en Syrie. C'est lui qui organise les départs du Sud, en ce moment, et il a déjà quatre femmes.

Curieusement, Léa répond qu'au fond elle le sait. Puis elle regarde Hanane et lui demande :

– Qu'est-ce qu'ils t'ont fait ?

Hanane prend la main de Léa puis de l'autre celle de Nadia, qu'elle serre nerveusement.

– J'ai été enfermée et battue. Ils croyaient que j'étais une espionne parce que je ne voulais pas encore me marier. Ils n'appliquent pas la charia : ils peuvent te condamner comme ils veulent, quand ils veulent, sans témoignage. Ils ont tout détruit : le pays, les hommes, les femmes et les enfants. Crois-moi, ils n'ont pas peur de Dieu. Il n'y a pas d'islam là-bas. Le pouvoir et l'argent leur ont monté la tête. On dirait une bande de caïds dans un sale quartier. Mais ce qui est dur, c'est de rentrer en France et d'entendre les mêmes paroles dans la bouche des flics... Exactement les mêmes paroles, tu comprends ? Je ne sais même plus qui je suis, j'ai l'impression de flotter entre deux mondes, dont aucun ne veut de moi...

Nadia ne regrette pas d'avoir demandé à Léa de l'accompagner. Elle aussi erre, à sa manière, entre deux mondes, alors elle interroge fébrilement Hanane : pourquoi n'a-t-elle pas demandé le témoignage des sœurs pour l'aider à prouver qui elle était ? En échangeant, elles s'aperçoivent qu'elles connaissent les mêmes : Umm Une telle et Abu trucmuche, comme d'habitude. Hanane raconte à Léa comment les filles avec qui elle parlait depuis des mois en toute confiance se sont défilées au lieu de l'aider. Elle dit même que certaines ne sont plus les mêmes : elles l'ont trahie, fouillée, maltraitée, et ont menacé de la tuer, de manière presque plus cruelle que les hommes...

Léa et Hanane pleurent autant l'une que l'autre. Nadia s'est un peu reculée pour les laisser face à face.

Ce type de scène rappelle à Nadia sa première vie d'éducatrice. Combien de fois les anciens toxicomanes tenaient la main à ceux qui arrivaient dans la troupe de théâtre. Nadia n'avait trouvé que ce moyen pour sortir les jeunes judiciarisés du banditisme et de la violence. Elle avait intégré sa promotion d'éducateurs juste après son deuxième mariage, comme si de rien n'était. Beaucoup de collègues sortaient de la fac. Cet univers universitaire lui était familier et pourtant, Nadia s'était sentie décalée. C'était bizarre d'être au milieu de jeunes normaux, heureux et insouciants.

Les premiers cours avaient défilé : psychologie, psychanalyse, sociologie, politique de la ville, etc. C'était passionnant et de haut niveau. La caractéristique du métier d'éducateur est qu'on y entre pour aider les autres. Mais l'on se rend très vite à l'évidence : en aidant les autres, on s'occupe aussi de soi. On répare ce qui est réparable, on apprend à vivre avec ses blessures. Ce que l'on comprend de soi-même est une ressource pour accompagner l'autre ; ce que l'on comprend chez l'autre nous porte. Mieux vaut en prendre conscience plutôt que de le nier. C'était valable pour Nadia, mais aussi pour ses collègues. C'est ça qui fonde le lien dans ces métiers. Ils attirent des individus qui ont besoin de donner.

Au croisement d'interrogations d'ordre personnel et d'ordre professionnel, les stagiaires discutaient pendant des heures lorsqu'ils se retrouvaient, car ils étaient le reste du temps répartis dans divers foyers éducatifs de la région pour s'occuper des jeunes. Nadia avait alterné comme les autres formations théoriques et stages en hébergement, sans jamais lâcher son flingue. Il était caché dans une doublure de son sac qu'elle avait cousue à cet effet. C'était comme une certitude. Elle s'apprêtait chaque minute à se retrouver face à face avec Tony, armé cette fois-ci d'un bazooka. Ou avec un flic qui lui annoncerait qu'il s'était tué.

Nadia avait vite compris le problème : les jeunes confiés par le juge ne venaient pas dans les ateliers éducatifs. Leur présence avait beau être obligatoire, faire partie de leur contrôle judiciaire, ils s'en fichaient. Et se fichaient de tout le monde : de leurs parents, des profs, des juges et des éducs. À l'époque, pour se forger un chemin sans foi ni loi, ils étaient malins. Ils jouaient des préjugés des uns contre les autres. À leur père, ils affirmaient que leur prof était raciste. À leur prof, ils affirmaient que leur père était violent. Chacun baissait la barre. Et eux la sautaient. Ils échappaient ainsi à tout le monde. On pourrait croire qu'ils étaient tous issus de familles immigrées. Pas du tout, les Steven utilisaient aussi les mêmes propos : tous les jeunes en difficulté se voyaient comme des immigrés.

Nadia avait vite compris qu'ils se sentaient de passage dans cette société. Ils n'allaient même pas signer leur contrôle judiciaire. Officiellement, cela aurait dû les conduire en prison, car ce contrôle faisait partie des conditions de leur sursis. En réalité, rien ne se passait. Les prisons étaient pleines, les juges surbookés, les éducateurs épuisés, les pères déprimés. Le premier jeune que Nadia avait récupéré à la sortie du tribunal pour intégrer son atelier d'insertion l'avait regardée de haut : « Tu peux me dire pourquoi je m'emmerderais à venir dans ton truc de merde alors que je gagne en une journée ce que tu gagnes en un mois ? » Il lui avait fait un bras d'honneur et était descendu de la voiture au premier feu rouge. Aucun fil ne dépassait de lui pour faire du lien.

Les éducateurs ont tendance à osciller entre deux extrêmes : « Je veux sauver le monde » et « Je ne sers à rien ». Nadia avait déjà ressenti ces sentiments dans sa vie personnelle... Pour y échapper, elle avait vite raisonné « hors institution » : elle ne ferait rien avec ces jeunes par la force. Il fallait botter en touche, les sortir de leur statut de délinquants, trouver un moyen pour faire du lien humain *à côté* du « lien-justice ». Tant qu'ils n'auraient pas une place au sein de la société, ils ne respecteraient ni la loi ni personne. Pour se réhumaniser, ils devaient avoir le sentiment d'être liés à l'humanité. Car Nadia était frappée de constater combien les jeunes qui allaient vraiment mal se percevaient « à l'extérieur », rejetés, exilés, ignorés. Et eux-mêmes n'éprouvaient aucune empathie pour autrui. La rage ou la haine était leur seul lien au monde.

Nadia savait que leur sentiment d'identité personnelle ne pouvait se construire qu'en établissant des relations humaines. En formation, elle avait étudié Winnicott, dont l'apport psychologique est très clair : la relation précède l'individu, pas le contraire. Autrement dit, l'individu se constitue dans la relation avec d'autres. C'était pure bêtise que de vouloir les rendre « autonomes », comme le demandaient les juges... Comment peut-on être autonome quand on n'a pas conscience de soi et du monde dans lequel on vit ? On n'en était pas là. Au contraire, ces jeunes qui avaient appris à serrer les dents dès leur enfance et à se passer d'amour devaient d'abord apprendre à « s'attacher », dans tous les sens du terme. Pour les rendre empathiques, Nadia devait trouver le moyen d'être empathique avec eux. Ils devaient devenir utiles, voire indispensables. C'était la condition nécessaire. Mais comment ? C'est ainsi que l'idée du théâtre lui était venue. Elle avait toujours rêvé de faire du théâtre.

Réunir des jeunes en rupture autour de l'élaboration d'un spectacle théâtral n'était pas une mince affaire ! En fait, personne ne comprit jamais comment ils y étaient parvenus... Une seule chose était sûre : ils venaient. Tout les attirait vers cette salle que Nadia avait dégotée près de chez elle ; tout sauf le théâtre. Certains avaient débarqué là parce qu'ils s'ennuyaient un dimanche après-midi, d'autres voulaient partager le goûter... Bref, ils entraient et s'asseyaient, souvent dans l'intention d'« en profiter un max » ! Nadia ne disait rien. Ils commençaient par se moquer de ceux qui travaillaient déjà. Puis, progressivement, ils se mettaient à critiquer. Arrivait alors le jour où Abdel[58], le metteur en scène, se retournait brutalement vers eux : « Et toi tu ferais quoi, là, à la place de ce mec qui a vu ça ? » Et ils entraient dans l'histoire – dans leur histoire – sans même s'en rendre compte. Lorsqu'ils ne montaient pas sur scène, ils trouvaient toujours une place : à la musique, à la lumière, aux costumes, aux décors, etc. Il y en avait pour tout le monde. Abdel aimait bien leur raconter qu'il était devenu comédien « parce que la piscine de son quartier était fermée ».

La troupe attirait des jeunes très différents. Cela se faisait naturellement. Certains dépendaient d'un mandat judiciaire, d'autres étaient du quartier, certains étaient scolarisés, d'autres en rupture, certains étaient placés en foyer, d'autres vivaient chez leurs parents ou dans des squats... Dans certains cas, le théâtre était leur seul lien social. À l'exemple de Steven. Sa mère habitait porte des Postes, qu'elle appelait « porte des Tox »... Steven en faisait partie. « Il est né dealer », disait-elle en soupirant, devant sa troisième bouteille de rouge et au milieu de ses douze chats. Avant d'entrer dans l'appartement, Nadia retenait sa respiration. Elle refusait de s'asseoir, pour ne pas être obligée de prendre « un petit quelque chose ». Steven collectionnait les séjours en prison, mais rien n'y faisait. Nadia

---

58. Abdel Baraka, comédien et metteur en scène.

n'avait jamais su comment il avait atterri au théâtre. « Le téléphone arabe... », disait-il. Elle avait hésité à l'accepter car la troupe comptait déjà deux toxicomanes. Mais il fuguait tant que le juge avait renoncé à le placer. Il ne rentrait pas non plus chez sa mère. Il refusait tout, ne signait pas son contrôle judiciaire et squattait ici et là, au gré de ses rencontres. Ses incarcérations étaient les seuls moments où il était joignable. Pourtant, quand Nadia klaxonnait devant les lieux où il squattait, elle l'entendait de loin crier à ses potes : « Laisse tomber, c'est théâtre, j'y vais, j'suis obligé, sinon ils sont dans la merde ! » Et Steven arrivait tout essoufflé.

Le pari de Nadia fonctionnait. Il fallait avoir besoin des jeunes pour pouvoir s'en occuper. Une grande partie du mal venait de là : personne ne les attendait. C'était la grande différence entre cette génération et la précédente. La société se construisait sans eux : dès leur naissance ils étaient un fardeau. Pour que chacun devienne indispensable, Nadia ne doublait pas les rôles. Si l'un d'eux n'était pas là, elle annulait la répétition, rien ne pouvait fonctionner : « Najim n'est pas arrivé, personne ne peut le remplacer, à bientôt. » C'était magique : l'ensemble des jeunes se mobilisait pour retrouver le pion manquant. Souvent en garde à vue.

Abdel composait les rôles des spectacles à partir de ce qu'ils étaient, fabriquait les personnages à partir de leurs caractères. Quand il écrivait la scène suivante, il se tournait vers eux : « Oui mais toi, tu es dans cette situation-là, qu'est-ce que tu fais alors ? » Et : « Pourquoi ça et pas ça ? ». C'était devenu une plaisanterie. Il y avait toujours un moment de blocage où un jeune se mettait au milieu et imitait Abdel : « Oui mais toi, tu es dans cette situation-là... »

Afin de pouvoir demander le maximum, il ne voulait rien savoir de leur histoire. Mais dans les rôles qu'il composait à chacun, les problématiques personnelles émergeaient, comme par magie. Celui qui avait trouvé son père suicidé devait dire qu'il aimait la vie par-dessus tout. Celle qui était en fusion avec sa mère devait jouer une scène de séparation. Celle qui sortait de la prostitution devait s'aimer elle-même. Dans l'un des spectacles, Nadia incarnait la sage de l'île, celle qui maintient le lien entre les habitants. À la fin, elle récitait le fameux poème de Khalil Gibran :

« Vos enfants ne sont pas vos enfants.

Ils sont les fils et les filles de l'appel de la Vie à elle-même,

Ils viennent à travers vous mais non de vous[59]. »

Chacun progressait doucement, sans se mettre à nu. Abdel ne faisait pas tomber les masques. Les acteurs allaient de masque en masque. Ils n'étaient jamais dans le vide. Il ne poussait pas, il était là.

Les jeunes construisaient le spectacle à partir d'improvisations. Lorsqu'Abdel disait « Qui suis-je ? », ils devaient adopter une position reflétant ce qu'ils étaient. C'était de la psychothérapie de haute volée, y compris pour les adultes bénévoles qui avaient rejoint Nadia. Abdel aimait déstabiliser. Quand c'était son tour, il mimait un homme harassé de fatigue : « Oui, je suis un enfant de mineur, c'est ça qui m'a déterminé. Tu voyais quoi en moi ? » ajoutait-il ensuite en souriant.

Au fil du temps, Nadia ne consultait plus les dossiers non plus. Elle se méfiait de son propre regard. Comment crier après Fabrice si elle avait su qu'il avait agressé son prof ? Comment

---

59. Khalil Gibran, *Le Prophète*.

laisser jouer cette scène d'amour à Salvator si elle avait eu connaissance du viol qu'il avait subi ? Un soir, Abdel avait relevé une ado de l'institut psychiatrique. Elle était toujours repliée sur elle-même. La main dans son dos, il l'avait soutenue pendant toute la scène. Elle avait relevé les yeux, la tête, le buste, avait honoré mieux que personne le personnage qu'elle incarnait. Il y avait eu un silence. Tout le monde avait compris : Abdel était tellement persuadé qu'elle pouvait le faire qu'elle l'avait fait.

Les jeunes commençaient à parler d'eux. Nadia en discutait ensuite en réunion d'équipe. Entre deux répétitions, elle réintégrait les murs vides du centre de réinsertion. Elle s'y reposait, rédigeait ses rapports, c'était sa pause. Des bruits couraient. Ça ne plaisait pas à tout le monde, tous ces jeunes qui montaient un spectacle et désertaient les ateliers officiels. Elle s'était aussi mis les syndicats à dos parce qu'elle travaillait le soir et le week-end. Le théâtre était devenu sa deuxième maison. Après l'école, Clara et Nina la rejoignaient. Clara était la mascotte. Chaque fois qu'un jeune s'énervait, elle lui tendait un gâteau à la vanille. Alors il souriait et baissait les yeux. Nina s'était jointe aux répétitions. Ça lui plaisait de décider ce qu'il fallait faire dans telle ou telle situation...

Ce lieu représentait un espace de liberté dans lequel, quels que soient son passé, sa situation, son quartier, son origine, sa religion, chacun s'engageait. Quand Nadia interdisait le shit, c'était logique : aucune substance ne pouvait nuire aux énergies. Chacun devait sentir bon, rester énergique et lucide. Les jeunes portaient l'interdit. Ça avait du sens. C'était l'intérêt de tous pour atteindre l'objectif commun. C'était un espace dans un espace. Un lieu respecté. « Tes problèmes, tu les laisses à l'extérieur, imposait Abdel. Sur le paillasson. » Ça s'appliquait aux adultes aussi. À chaque fois que son esprit repartait vers Tony, Abdel le sentait et lui disait : « Sors de scène ! Tu ne donnes rien. » Il ramenait chacun, jeune ou adulte, à l'objectif commun : le spectacle, sans lequel plus rien n'avait de sens. C'est à cette époque que Nadia avait compris l'expression « Dieu est omniscient ». Il ne surveille pas les hommes, rien à voir avec ça... Il permet aux hommes de construire leurs relations entre eux et de faire l'expérience du monde. C'était flagrant.

Les jeunes ne parlaient plus que du théâtre. Nadia avait été détachée, sous pression des juges, satisfaits de cette reprise de liens. Plus personne ne récitait les circulaires officielles parlant d'autonomie. Entendre les jeunes s'exprimer un par un à chaque audience leur suffisait. Le président du tribunal pour enfants lui avait dit un jour : « Votre concept, c'est "Je participe donc je suis". Je vais organiser un colloque sur ce thème. Vous viendrez l'ouvrir. »

Nadia sent quelque chose sous le voile de Hanane. Elle esquisse un mouvement, dans l'intention de lui toucher la tête, mais la jeune fille se dégage d'un coup sec. Nadia entrevoit Stéphane dans la pénombre du fond de la chambre. Hanane ne l'a pas remarqué. Nadia comprend instantanément le geste de Hanane, la reprend dans ses bras et murmure :

– Oh ma pauvre, qu'est-ce qu'ils t'ont fait ?

Elle tend à nouveau la main et descend doucement le voile. Apparaissent alors des parties de crâne meurtri sans cheveux, parsemées de cicatrices... Hanane tremble et se remet à sangloter de plus belle, à ne plus pouvoir respirer.

– On les aura, murmure Nadia. Bande de salopards...

– On les aura, répète Léa. Bande de salopards...

Léa

À la gare, suite au rendez-vous avec Hanane, Nadia se sent triste. Mais heureusement, ses anges gardiens sont là et bien là. Pour la dixième fois de la semaine, Stéphane vient de se disputer avec l'agence qui gère leurs déplacements et prend leurs billets de train.

– Ils reconnaissent mon numéro de téléphone sans que j'aie besoin de me présenter, pourtant on est plus de cinq cent dans le service protection, dit-il en raccrochant. Ils n'arrivent pas à comprendre que la VIP change sans arrêt ses horaires.

– C'est moi la VIP ?, interroge Nadia en rigolant.

– Oui, c'est vous la VIP, répond Stéphane, toujours aussi énervé. C'est fou qu'ils ne comprennent pas que, pour cette mission, les horaires changent tout le temps. Je leur ai déjà expliqué qu'on ne peut pas peut savoir combien de temps on met pour désembrigader quelqu'un. On n'est pas dans un emploi du temps de ministre, réglé à la minute.

– C'est le moins qu'on puisse dire, grogne Vivien, qui n'en peut plus de faire dix heures de train par jour plusieurs fois par semaine.

Il essaye de convaincre Nadia de s'habituer à l'avion :

– Madame travaille contre Daesh mais craint l'avion, dit-il en levant les yeux au ciel. Le monde à l'envers...

De retour dans le train, Nadia reçoit un texto de Léa, qu'elle vient de quitter :

Salam alaykoum, Nadia. Regarde tes mails, vite. C'est une fille que je connais. Peut-on encore la récupérer ? Elle est à la frontière turque.

Nadia n'arrive pas à connecter son ordinateur et découvre sur son téléphone les captures d'écran envoyées par Léa. Il s'agit d'une conversation de rabatteur sur un réseau social que Nadia ne connaît pas :

Salam alaykoum, tu es là ? J'ai appelé la sœur, vous allez partir ensemble, *inch Allah*.

Et la sœur de Nice elle vient avec nous ? Elle a ses papiers ou pas ?

Oui mais elle est interdite de quitter le territoire français donc elle prendra les papiers de sa sœur elle a dit, *inch Allah*. OK elle doit aller sur Milan alors.

OK je lui dirai.

En même temps faut pas que vous partiez à dix non plus, c'est pas prudent. Tu l'as contactée comment la sœur de Nice ?

Par Snapchat.

Tu vas faire l'intermédiaire entre nous OK ? Demande-lui quand elle est prête. Tu as un peu d'argent sur toi ?

J'ai 120 euros pas plus.

OK c'est bon, on va t'appeler tout
à l'heure et je vais t'expliquer
tout ce que tu devras faire. OK ?

L'autre sœur elle a dit elle est pas
prête, sa foi est en baisse et elle te
demande des conseils.

Justement c'est le Sheitan tout
ça, dis-lui que par Allah que sa
réussite se trouve dans la hijra,
La réussite ici bas et dans l'au-
delà c'est dans la hijra.
La vie se trouve dedans car Allah
l'a imposée au véritable croyant.
Elle ne doit pas laisser le Sheitan
l'avoir alors qu'elle était
déterminée.
Elle sait que c'est là que se trouve
la vérité. Donc elle doit la suivre
même si elle doit en mourir.
Wallah les sœurs vous ne savez
pas le bien qu'il y a dedans.

Elle a dit que la première fois
quand elle devait partir elle s'est
désavouée de tout en France
mais maintenant elle arrive pas
et ça lui crée des problèmes.

Vous louerez Allah le jour où
vous le rencontrerez avec cette
récompense.
Dis-lui que la première fois
c'était trop facile.
Et que cette fois-ci elle peut
véritablement partir donc Allah
va la mettre à l'épreuve.

159

A-t-elle peur de se faire arrêter et
d'être éprouvée ou bien fait-elle
confiance à Allah ?
Si elle croit en Allah, elle doit lui
faire confiance sur tout.
Elle doit partir chez Allah, si elle
ne le fait pas maintenant par
Allah elle le regrettera car le
Sheitan fait tout pour vous
empêcher de faire la hijra.
Elle doit se ressaisir maintenant
avant que ça ne soit trop tard.

OK je vais lui dire de t'appeler.

Prépare-toi dans ta foi et ta
relation avec Allah.
Il y a un frère qui va t'appeler
inch Allah il va s'occuper de tout
dis lui juste ton problème inch
Allah tu es là ?

Il répond pas.

C bon je l'ai eu ne l'appelle plus il
t'appel.
Tu es là ?

Appel manqué.

Tu es là ?

Je peux pas prendre le train.

Pourquoi ?

Le monsieur il a dit que j'aurais
pas le temps d'arriver à l'heure
pour le train et le prochain est à
6 heures et j'arrive à 23 heures.

2 appels manqués.

Laisse tomber pour le train
prend l'avion OK ? Regarde ce
que tu fais : tu retournes à
l'aéroport ou tu vas à l'hôtel
inch Allah. Appelle-moi dès
que tu le peux. Tu es là ?

Tu es là ?

Oui.
C'est bon ils ont réservé ?

Oui ils sont en train de le faire. Ils
sont en train de voir car il y a un
vol à 6 heures du matin mais tu
as un vol là dans 40 minutes.

À Charles de Gaulle ?

Oui à 22 heures et quelques.

Ce message a été supprimé.

Ce message a été supprimé.

Efface.

Oui je le sais.

Ce message a été supprimé.

Qu'Allah te facilite.

Amine fait plein de dou'a [60] pour
moi *inch Allah* et aux frères.

Ça va le moral, pas trop
éprouvé ?

---

60. Invocation à Dieu.

Ma famille ne me lâche pas et ça me fait mal à la tête là.

Tu m'as dit que ta mère t'avait crue.

Au début oui, mais après ma tante et mes cousins sont arrivés, ils ont dit que je mentais.

Oh la... *Khair inch' Allah*[61], tu es dans le sentier d'Allah donc ce n'est pas vraiment grave. Il ne faut surtout pas abandonner car le Sheitan va tout faire pour cela. Tu es là ?

Oui.
La sœur de Nice elle demande si tu peux l'appeler demain.

Bon, tu as quoi comme numéro ? Tu peux réécrire les seize chiffres après tu supprimes.

Message supprimé.

Le frère a dit qu'il va sur Easyjet à 3 h 45 et il va m'appeler ou passer par toi *inch Allah*. Tu es là ?

Appel en absence.

Tu es là ? Les frères t'ont appelée ?

---

61. « Il n'y aura que du bien si Allah veut ».

Oui.

C bon tu es à l'embarcation ?

Inch Allah.

Qu'Allah t'assiste. Combien il te
reste d'argent ?

8o.

OK garde le pour payer le bus
arrivée en Turquie *inch Allah.*
Tu es là ?

Tu es là ?
Tu es embarquée ?

Nan j'embarque à 7 h 35 *inch
Allah*. Dans une heure *inch Allah.*

Bon l'autre billet a été pris *al
hamdoulilah.*

OK *barabk'allahou fik.*

Wa fik.
N'oublie pas les dou'as tu es en
voyage et elles sont exaucées.
Multiplie-les et ne nous oublie
pas.

OK.

Tu es là ? Réponds.

4 appels manqués.

Ma mère elle a appelé la police
mais ils croient que je n'ai pas
quitté la France et ils m'ont
bloquée aux frontières.

Ils t'ont bloquée à quelle frontière ?

France ou Europe je crois.

Ah ok mais Allah est plus puissant qu'eux. Quelqu'un viendra vous chercher à l'aéroport et vous amènera dans un endroit sécurisé pour y passer la nuit *inch Allah*. Ainsi le lendemain on vous récupère *inch Allah*. T'es là ?

Ma mère elle a fait une crise cardiaque pour de vrai elle est en réanimation j'ai peur qu'elle meure à cause de moi.

C'est faux, ce n'est pas vrai, crois-moi. Ils te disent ça juste pour que tu reviennes. Tu vas faire une chose maintenant, ok, tu es là ? Tu vas les appeler et tu leur dis que tu es à la gare et que tu vas rentrer, tu seras à la maison dans deux heures. Ensuite tu coupes ton téléphone. Car tu fais la hijra avec le Sheitan dans les oreilles qui essaie par tous moyens de te faire revenir. *Wallah* il y avait un frère avec nous sa famille lui a dit que sa mère allait mourir qu'elle était à l'hôpital et il m'a demandé la permission de rentrer en France. J'avais refusé en lui disant que c'est le Sheitan qui voulait le faire rentrer afin de le détruire au niveau de sa religion et par Allah il est rentré quand même. Tu sais quoi ? Sa mère était contente, elle était chez elle et n'avait rien, le lendemain la police est venue, et ils l'ont mis en prison, sa hijra et son djihad ont été annulés. T'es là ? Donc tu coupes ton téléphone de suite et avant tu enlèves la géolocalisation.

OK *barak Allahou fik.*

Envoie un message en disant que tu vas rentrer, juste un message et coupe tout.

C'est fait.

Quand vous arrivez vous ne bougez pas de l'aéroport on va venir vous chercher et vous amener dans une maison. Quand vous êtes sur place ne vous inquiétez pas on est là. On se charge du reste à la fin de votre destination ; enlève la batterie de ton téléphone maintenant. OK à tout à l'heure *inch Allah.* Enlève la batterie.

Nadia attrape son portable professionnel en donnant l'autre à Stéphane et Vivien pour qu'ils comprennent. Elle appelle Léa, qui est en larmes : la petite qui est en train de se faire kidnapper a 16 ans et s'est convertie il y a trois mois. Léa s'en veut de ne pas l'avoir dit avant. Nadia la calme énergiquement et lui demande le numéro des parents. Léa ne l'a pas, elles ne se parlent que par Internet – comme d'habitude. Mais elle connaît son nom et sa date d'anniversaire, car elle attendait d'avoir 16 ans pour partir. Nadia les note sur le dos de son agenda et raccroche pour faire un texto à l'UCLAT[62], la police spécialisée antiterroriste. C'est ce service qui gère le fameux numéro vert que les parents appellent pour que leur enfant soit stoppé à la frontière. Ils doivent être au courant mais Nadia leur précise que la petite est déjà en Turquie.

Elle tape rapidement sur son écran le nom et la date de naissance de la jeune fille, en précisant : alerte, déjà passée en Turquie depuis deux heures. Le directeur adjoint a l'habitude de ce type de textos. Mais lorsque la frontière est franchie, l'affaire est sous l'autorité des Turcs. Or Nadia ne leur accorde pas une énorme confiance. C'est pile ou face. Elle soupçonne les policiers turcs de fermer les yeux et de ne pas trop chambouler leur emploi du temps avec tous ces jeunes du monde entier qui passent chez eux pour aller chez Daesh.

Elle rappelle Léa qui s'est un peu calmée.

– Je peux t'envoyer une liste de plus petites que moi qui prévoient de partir ?

– Une liste ? !

– Oui...

– Tu possèdes des infos à chaque fois : une adresse, un nom, un téléphone, une date de naissance, quelque chose ?

– Oui, je vais t'envoyer que celles-ci...

---

62. Unité de coordination pour la lutte antiterroriste.

– Elles habitent où ?

– Un peu partout...

Vivien regarde Nadia et lui demande en lui faisant signe de la main de baisser un peu le ton... Elle reprend plus doucement...

– Les autres, tu peux les faire parler ? Pour qu'elles te donnent des infos qui permettent de les identifier ?

– Oui, bien sûr. Hanane et Inès en connaissent aussi. On peut se mettre à trois ?

– Je vais voir, dit Nadia en raccrochant.

Elle réalise que Léa a interdiction de se connecter avec les réseaux djihadistes. Hanane aussi doit être sous contrôle judiciaire... Elles n'ont pas eu le temps d'en parler mais c'est évident. Ces petites de 16 ans qui partent à la mort doivent-elles être considérées comme « des réseaux djihadistes » ? Nadia décide que non.

Elle parle à haute voix en s'adressant à ses anges gardiens :

– De toute façon, elle continue à se connecter... Alors autant qu'elle sauve des vies avec nous, non ?

Elle envoie un texto à Léa :

OK, mais pour Inès ce sera en groupe de parole... Elle n'a droit à aucun appel. Je te rappelle qu'elle est enfermée principalement pour se désintoxiquer de ses relations fusionnelles avec sa « tribu numérique » ; –)

OK, on s'organise avec Hanane d'abord. Merci Nadia.

Merci à vous. Bienvenue dans la
chaîne de la vie contre la mort
; –) Que Dieu vous assiste.

Amin[63].

Nadia n'a pas oublié, qu'au départ, Léa voulait sauver les enfants gazés par Bachar al-Assad. Elle sait que les rabatteurs de Daesh se sont servis de sa sensibilité pour la prendre dans leurs filets. Ce n'est qu'après qu'ils ont réussi à la déshumaniser, en l'habituant à l'idée qu'il fallait tuer pour pouvoir sauver.

Le train arrive à Paris au moment où Nadia reçoit la confirmation qu'une adolescente de 16 ans et un jeune homme de 21 ans viennent d'être mis en détention en Turquie. S'agit-il de la petite sauvée par Léa ? On lui demande de se tenir prête car ils vont être rapatriés le lendemain. En comptant les trois jours d'interrogatoire systématique de la DGSI, cela signifie que l'équipe va devoir intervenir en milieu de semaine prochaine. Nadia veut d'abord joindre la famille : elle transfère les renseignements à l'équipe.

Elle reçoit un appel de Hanane. Habituellement, c'est Nadia qui prend des nouvelles de la jeune fille tous les jours entre deux groupes de parole. Hanane cicatrise doucement sur la tête mais pas à l'intérieur. C'est la grande solitude, d'autant que ses anciennes amies l'ont bannie. Elle se sent à part, et Nadia la rassure en lui disant que c'est normal. Le fait d'avoir connu la réalité de Daesh n'aide pas Hanane. Certes, elle sait désormais que le monde idéal qu'elle croyait pouvoir atteindre en partant en Syrie est une chimère, contrairement à Léa, Inès, Ali et les

---

63. « Amen ».

autres qui, parfois, se laissent encore séduire par la promesse de cet éden trompeur. Mais son retour dans le monde réel n'est pas facilité pour autant. Au fond, Daesh a réussi à tous les déshumaniser : leur conviction est séparée de leur émotion. Léa, Inès, Ali et les autres ont tous appartenu à un groupe qui n'éprouvait plus rien pour tous ceux qui ne pensaient pas comme eux. Ils ont été déshumanisés mais à leur tour, ils ont déshumanisé leurs victimes qu'ils ne considéraient plus comme leurs semblables... Les nazis brûlaient les juifs pour les traiter comme une simple matière première, Daesh coupe les corps en morceaux pour leur ôter leur apparence humaine. Ainsi, plus de culpabilité, plus de conscience, les bras et les têtes deviennent de simples choses, des symboles du mal.

Nadia se dit qu'elle doit trouver un moyen de « réhumaniser » Hanane, Léa, Inès... Leur conscience a été anesthésiée par Daesh : plus ils auront la sensation d'exister, plus ils s'attacheront aux autres, plus ils en tiendront compte. Comme ces anciens jeunes délinquants et toxicomanes. Hanane, Léa, Inès, Ali et les autres devront réapprendre à ressentir des émotions, à éprouver des sentiments et à accepter de devenir vulnérables pour comprendre la vulnérabilité des autres et réintégrer la chaîne humaine. Ils verraient ceux qu'ils nomment apostats ou mécréants comme des semblables et non comme des persécuteurs qu'il faut maîtriser et combattre. Ils existeraient et découvriraient l'existence des autres. Alors, progressivement, ils se différencieront les uns des autres en comprenant qu'à partir de leur fusion commune au sein du groupe, ils avaient tous des objectifs et des ressentis différents : se venger, exister, réparer, rêver, sauver... C'est cette prise de conscience qui leur permettra de recommencer à ajuster une pensée à une émotion et une émotion à une pensée. Et redevenir des humains à part entière.

Mais pour se « réhumaniser », ils devaient retrouver une place dans l'humanité. Quoi de mieux que d'aider les autres ? Nadia soumet l'idée à son équipe. Ils décident de regrouper l'ensemble des jeunes pour la séance de désembrigadement de Brian, le garçon de 21 ans menotté à la frontière syrienne par les Turcs. Ils invitent aussi Ali et Aouda, qui acceptent immédiatement. Ils viendront avec leur bébé qu'ils ont récupéré suite au rapport de Nadia. En le rédigeant, elle a estimé que les critères de désembrigadement étaient remplis par le couple :

« – *le fait de se replacer dans sa filiation et de ne plus se sentir appartenir au groupe de substitution (des djihadistes) qui avait fait autorité sur eux :* c'est le cas de Monsieur M. et de Madame K. Ils parlent des djihadistes comme de personnages extérieurs à eux. Ils se situent en tant que couple, en tant que parents, et en tant qu'individus qui ont souffert de leurs histoires familiales, dont ils ont accepté de parler avec un psychologue pour prendre du recul et construire leur propre histoire. Dans notre méthode de désembrigadement, nous nous appuyons sur les parents pour replacer les embrigadés dans leur filiation. Dans le cas de Monsieur M. et de Madame K., on peut estimer que c'est l'existence de leur enfant et leur statut de parents qui les ont aidés à se "réafilier" à leurs histoires personnelles.

– *le fait de prendre conscience du décalage entre le discours des djihadistes et la réalité du terrain :* c'est la dissociation cognitive que nous recherchons. Dans le cas de Monsieur M. et de Madame K., la prise de conscience de ce décalage avait commencé avant la rencontre de notre équipe, d'autant que Madame K. avait reçu un coup de téléphone d'une jeune cousine dont la meilleure amie était séquestrée en Syrie... Mais les échanges avec les mineurs ont fortifié la prise de conscience de ce décalage, à tel point que le couple s'est porté volontaire pour nous aider à sauver d'autres jeunes bernés par de fausses promesses.

– *La confrontation au monde réel* : de notre point de vue, une personne est réellement sur le chemin du désembrigadement quand elle accepte de mettre des mots sur les mécanismes qu'elle a subis. L'expérience mène notre équipe à penser qu'à cette étape, une personne sincère n'a qu'une demande : témoigner pour éviter que d'autres s'engagent dans ce chemin qui mène à la mort. C'est ce qui s'est passé avec Monsieur M. et Madame K., qui sont volontaires pour sauver d'autres jeunes et réfléchir à un contre-discours à l'attention des adolescents. »

Nadia demande une autorisation spéciale au juge pour qu'Inès puisse sortir du centre éducatif fermé, comme lorsqu'elle vient en groupe de parole. Elle pourra ainsi participer au désembrigadement de Brian.

Brian

Brian essaye de se faufiler derrière son père pour éviter l'épreuve qui l'attend : croiser le regard des femmes sans foi ni loi qui envahissent cette pièce. Pourvu que personne ne tente de le toucher... Dans ce cas, il partira. Les frères de la haqqida [64] lui ont demandé de ne rien montrer et de tout accepter pendant quelques jours, mais il y a des limites. Une seule femme semble presque respectable. Elle est avec un bébé, tout en gris, assise à côté d'un frère qui doit être son mari. Et encore, on voit son regard et pratiquement tout son visage... Brian sait que son mari est un frère, malgré ses cheveux courts et sa petite barbe, car il aperçoit de loin sa zebîba [65]. Un frère probablement égaré chez les hypocrites salafistes, ceux qui prétendent qu'il faut des conditions pour faire le djihad. Les lâches... Sont-ils aveugles ? Ne voient-ils pas que depuis la fin du califat ottoman, les ennemis de la haqqida ont pris le pouvoir ? Que la pensée islamique s'est éloignée du Livre et de la Sunna ? Que le colonialisme occidental a propagé sa culture impure et son

---

64. Vérité.

65. Marque sur le front laissée par la prosternation de la prière musulmane.

athéisme parmi les musulmans, où qu'ils vivent ? Brian déteste ces hypocrites.

Qu'est-ce ce que couple fait là, parmi cette foule de koffars ? Toutes les autres femmes montrent leurs atours. Seules trois ou quatre portent un petit foulard d'égarée qui laisse deviner leurs cheveux. Encore de pauvres créatures ignorantes touchées par le Sheitan : il leur a enlevé leurs vêtements, souhaitant les détourner du paradis, de la modestie et de la décence. Il les a détournées de la vérité. Si elles sont là, c'est qu'elles ne considèrent plus comme bienheureux le fait de rester à la maison. Peut-être ne connaissent-elles même pas ce décret divin.

Brian s'assoit sur la chaise que son père lui tend et s'applique à ne regarder personne. Il fixe ses pieds pour ne pas être tenté et pense à son futur trajet, plus élaboré que le premier. Les frères de la haqqida lui ont demandé d'attendre encore huit jours. Huit petits jours pour rejoindre la terre bénie.

Une des femmes parle plus que les autres. Il ne veut rien entendre. Il comprend tout de suite qu'elle est alliée aux koffars pour se faire bien voir. C'est incroyable de voir des gens qui se prétendent musulmans garder des relations amicales avec des infidèles qui sont en guerre contre la vérité d'Allah, vivant au milieu d'eux. Ils complotent mais oublient qu'Allah est meilleur qu'eux en stratégie.

Juste à côté de la femme qui parle beaucoup, il y a un homme blond, et juste après un autre d'origine africaine. Elle n'a pas honte d'être assise à leurs côtés ? Les femmes auraient pu au moins se regrouper et éviter de se mélanger ainsi de façon indécente aux hommes. Brian se demande soudain si le blond n'est pas un flic. C'est dans le regard. Le type ne le lâche pas. C'est comme s'il voulait entrer dans son esprit. Et puis c'est le seul adulte qui n'a ni ordinateur ni stylo. Brian attrape son téléphone et il sent que le black a légèrement tressailli. Personne n'a rien vu, mais lui, grâce à Dieu, il a capté. Le black est donc un flic aussi, malgré son apparence d'Africain. Malin l'hypocrite... Les gens croient voir un black et en vérité c'est un flic ! Brian remet doucement son portable dans sa poche. Il ne fera plus de geste brusque ; il n'a pas envie de se retrouver avec une balle entre les deux yeux. On ne sait jamais, dans ce pays de barbares qui complotent pour massacrer tous les musulmans véridiques... Il n'a pas peur de la mort, il l'attend avec bonheur, à condition qu'il puisse intercéder pour que son père le rejoigne au paradis. Il est pressé de se retrouver dans une terre où la charia et le califat sont instaurés. Il doit patienter et attendre la délivrance d'Allah.

Une jeune égarée parle de prière, ce qui surprend Brian. En plus, elle est blonde. Les autres lui répondent, le frère à la zebîba aussi accepte de parler à ces créatures. Il tend l'oreille sans quitter ses chaussures des yeux :

– Comme mes parents ne veulent pas que je fasse ma salat[66], je fais mes ablutions avec une pierre et je prie dans mon lit.

Une autre répond :

– Tu peux prier juste avec tes paupières. Tu te couches sur le côté et personne n'y voit rien.

– Personnellement, j'ai l'impression de faire tout mal...

– C'est ça... je fais tout mal aussi... Tout ce que je fais décevra toujours Allah...

---

66. Prière.

– Celui qui croit que c'est toujours parfait, c'est celui-là qui décevra Allah...

– En fait, je voulais faire les choses bien en partant en Syrie. Après on m'a dit que ce n'était pas bien. Eux, ils m'avaient appris le contraire : ce que je faisais avant n'était pas bien. Donc je suis perdue.

– En fait, j'ai peur d'être hypocrite envers Allah...

– Si tu te poses la question, c'est que tu n'es pas une hypocrite. Parce que les hypocrites ne se posent pas la question.

Brian ne peut s'empêcher de jeter discrètement un œil vers ceux qui parlent. Ils ne font pas attention à lui et ont l'air sincères dans leur pensée. Il vit quelque chose de décalé : des koffars qu'il déteste parlent d'Allah...

– Ce que tu fais de mal, c'est entre toi et Arbi[67]. Il te pardonnera... Le plus important, c'est de ne pas faire de mal aux autres. Regarde, là, tu es revenue, et tu n'as pas fait de mal aux autres... Donne ton cœur à Dieu et Il te pardonnera. Tu te rends compte, si tu avais tué des gens ?

Brian comprend mieux. Ce sont des frères et des sœurs que la koffar a endoctrinés et sortis à la fois de l'islam et du djihad. Ils se parlent tous comme s'ils se connaissaient.

– Le problème c'est que... j'ai fait aussi partir deux filles... et je me dis que peut-être elles se sont fait tuer ou... Deux vies, c'est pas comme si c'était la mienne.

– C'est comme moi. Ça fait un an qu'elle est là-bas... Une plus petite que moi...

_____

67. « Dieu », en arabe.

– Je devais m'enfuir avec elle et je n'ai pas pu, j'ai été arrêtée, alors elles sont parties seules. C'était le 18 novembre... Je leur ai dit où elles devaient aller prendre les papiers, l'argent...

– Moi je savais qu'elle était à l'aéroport et je l'ai laissée faire... Ils me disaient clairement : passe-moi le compte internet ou le téléphone de cette sœur, je vais l'endoctriner...

L'égarée regarde la koffar et s'adresse à elle :

– C'est pour ça que quand je suis arrivée ici, je n'ai pas compris que toi, tu parles d'« endoctrinée » comme si ce n'était pas bien. Je ne comprenais pas que tu me dises que j'étais endoctrinée... Pour eux, c'est faire du bien aux autres que de les endoctriner...

La koffar a l'air sidérée.

L'égarée n'est pas seulement ignorante, elle est bête. Elle livre tous les secrets :

– Dans mes conversations, j'annonçais souvent : « tiens je vais endoctriner celui-là », « tiens je vais endoctriner celui-ci »... On disait toujours ça... Mais cela me pose des problèmes pour mon procès maintenant. La juge m'a dit : « En fait t'étais consciente de ce que tu faisais ? » Et j'ai dit : « Non, je ne faisais pas exprès ! » Endoctriner, c'était normal. On faisait ça toute la journée. C'était presque faire du lien...

La koffar fait semblant de ne pas être d'accord avec ses alliés du pouvoir :

– En fait, ça fait des années que je me bats avec tous les politiques pour dire que le problème ce n'est pas l'islam mais l'endoctrinement... Daesh n'est pas une secte mais ses membres utilisent les mêmes procédés que les mouvements sectaires... C'est incroyable qu'ils en aient conscience.

– Oui, et ils en sont fiers !

Une autre égarée prend la parole, elle n'a même pas de foulard :

– On rentre dans du mimétisme. Quand j'étais petite et musulmane normale, je faisais hyper attention à mon comportement : je veillais sur la voisine qui avait du mal à marcher, je ramassais les papiers sales, j'aidais ma mère, j'avais une relation très forte à Dieu... Et en fait, quand j'ai été entraînée dans la radicalité, mon mari me dictait ma conduite sur tout. L'islam est devenu un mécanisme... Il n'y avait plus de bonté en moi. Je faisais parce qu'il fallait le faire. Mon mari me commandait même mes gestes pendant ma prière : quand je me baissais, il fallait que ce soit mes genoux en premier ; puis il me disait que je devais faire des tout petits ronds avec la main... et je ne pensais plus à Dieu, je me concentrais sur ces détails sans importance, tout était une contrainte. Même la façon dont je me prosternais.

Brian ne comprend pas ce qu'elle dit. Comment peut-elle imaginer être une bonne musulmane si elle ne reproduit pas exactement les mêmes gestes que le Prophète et ses compagnons ? C'est la répétition qui permet la fidélité. *Dawla islamya* s'est formée dans un seul et unique but : adorer Dieu. Comment faire mieux que le Prophète ?

– Moi je faisais tout ce qu'ils me disaient de faire sur Internet. Encore l'autre jour, une sœur m'a dit : « Pas de sarouel[68], c'est haram ». Eh bien j'ai ôté mon sarouel. Il a fallu attendre le lendemain pour que je me demande : « Mais pourquoi j'ai obéi à cette inconnue ? » et que je réfléchisse. J'ai

---

68. Sorte de pantalon large masquant les formes.

tellement été habituée à obéir... J'ai l'impression qu'ils m'ont arraché toutes les bases que j'avais. Sortir de la répétition n'est pas facile.

– Et moi donc, ils m'ont dit qu'il fallait changer de nom pour me couper de mon histoire, et je l'ai fait ! Et quand ils m'ont dit de ne pas obéir à mes parents, je l'ai fait aussi !

La koffar intervient et prend le parti de la mère mécréante :

– Tu penses que Dieu est content que tu aies fait du mal à ta mère ?

– Non, bien sûr... Mais quand je lis dans mes livres sur l'islam : « Obéissez à vos parents sauf s'ils vous détournent du chemin d'Allah », eh bien ce n'est pas facile. Un coup je me dis que je dois obéir à mes parents, un coup je me dis qu'ils vont contre ce que dit Allah... Et je suis mal parce que je me dis que ma mère va souffrir, donc que Allah ne va pas être content, donc je n'y comprends plus rien... L'islam a été la lumière de ma vie. Le jour où je me suis convertie, c'était le plus beau jour de ma vie, et en même temps, ça fait souffrir la personne que j'aime le plus...

Un homme intervient. Brian ne sait pas dire si c'est un frère, un égaré ou un koffar. Il parle vite :

– Ce verset, il est simple : il veut dire que les parents ne peuvent pas obliger leur enfant à devenir incroyant, c'est tout !

– C'est comme la loi de 1905 sur la laïcité : chacun a droit à sa liberté de conscience tant qu'il n'impose pas sa foi aux autres !

L'homme non identifié en rajoute une couche après les inepties de la koffar :

– Si on ne se prosternait pas devant Dieu, on se prosternerait devant nos parents...

La koffar reprend :

– Le simple fait que tu ne blesses pas tes parents satisfait Dieu. Il voit tout et sait tout. Qu'est-ce qui est le plus important, d'après toi ? Ton comportement envers tes parents ou la façon dont tu fais tel ou tel mouvement avec ton doigt quand tu pries ? Quelle image de Dieu avez-vous ? C'est quoi le plus important pour Lui ?

– C'est ce qu'il y a dans ton cœur qui compte.

– C'est comme quand ils te disent que si tu penses encore à ta mère, c'est que tu n'es pas vraiment élu pour faire partie de la haqqida, que tu dois laisser tomber... C'est pervers, parce qu'en fait ça te motive encore plus. Tu te dis : « C'est Dieu d'abord. » Pourtant, on sait tous que Dieu n'est pas satisfait si on fait du mal à notre mère...

C'est le frère à la zebîba qui vient de parler. Brian se sent soudain très mal à l'aise, d'autant que ses parents pleurent tous les deux. Son père tient sa mère dans ses bras. Il se revoit leur imposer son nouveau prénom : Aïssa el-Françaoui[69]. C'était une façon de leur faire honneur : ses parents ne sont pas des purs koffars, ils sont chrétiens. Mais en se voyant imposer ce changement de prénom, ils ont eu le sentiment qu'il les reniait.

Brian voit trouble. L'image du visage de sa mère se penchant sur lui en hurlant quand il a été ramené menotté à demi-mort de la frontière syrienne s'impose à lui. Il revoit aussi ses premières recherches sur Internet. Elles concernaient la vie après la mort. Il faut dire que son père s'était fait opérer six fois en deux ans. Le voir diminué ainsi à l'hôpital l'avait touché. Ils étaient si proches tous les deux. Puis son oncle préféré était

---

69. Jésus le Français.

décédé d'un infarctus. Après cette brutale rupture, Brian s'était d'abord enfermé de nombreux mois, ne supportant plus de voir les gens vivants. Il esquivait la mort en refusant de vivre. Il voulait que tout s'arrête un moment. Le monde lui semblait précaire. La frontière entre vie et mort était devenue floue. Il n'avait plus de repères, il se sentait perdu, comme dans un espace inconnu. La mort rôdait. Si son père ne guérissait pas, comment survivrait-il ? Comment être certain qu'ils se retrouveraient au paradis ? Puis Brian avait rencontré un nouvel ami, puis deux, qui lui parlaient si bien de l'au-delà. Ça lui avait donné envie d'y être.

Par Allah, le frère à la zebîba doit lire dans ses pensées car Brian l'entend dire :

— Ils utilisent la notion de fin du monde pour nous renvoyer à notre propre fin, donc à notre propre peur. Il y a une propagande de la peur dont ils se servent. Or dans le Coran, Dieu nous dit que lorsque ce sera la fin du monde, il faudra encore planter un arbre. Ça veut dire qu'il ne faut pas rester sur une notion de fin du monde comme quelque chose qui mène au néant. En islam, normalement, on est plutôt dans l'esprit : c'est la vie qui prime avant tout. Celui qui te dit : je sais quand c'est la fin du temps, tu es certain que c'est un endoctrineur.

Le frère à la zebîba le regarde cette fois-ci droit dans les yeux. Brian sent sa tête se redresser malgré lui. Ali se lève et se met à lui parler, tout en changeant la couche de son bébé, aux côtés de sa femme à moitié respectable :

— Tu vois mon frère, les flics nous ont attrapés à la frontière. On avait eu des signes pour nous mettre le doute pourtant, mais on était comme toi : on fuyait. C'est plus facile de fuir. Mais la fuite ne donne pas d'ailes. Il vaut mieux se redresser. Se faire arrêter à la frontière a été le signe de Dieu. S'Il avait voulu, on serait là-bas. Toi aussi. Si on est tous là, c'est qu'Il l'a voulu. Il a envoyé quelqu'un pour se mettre entre eux et nous. Il nous a sauvés. Regarde mon frère, hier les flics m'ont arrêté et m'ont pris mon fils. Aujourd'hui, je suis là devant toi avec mon fils et ma femme. Je me dresse devant toi pour que tu rentres. Reviens, c'est la chaîne humaine, et c'est sur terre que ça se passe, pour le moment. Grâce à Dieu.

En sortant de la séance, Nadia est fatiguée. Difficile de garder espoir. Difficile d'être sûre que la carapace a été fendillée, que Brian a été touché et qu'une brèche a été ouverte. Il en faudra d'autres, il y aura des hauts et des bas. Elle sait que son équipe et elle ne lâcheront pas mais le combat sera long.

En montant dans le train, elle reçoit un sms de Léa :

Salam Nadia. Ne t'inquiète pas,
Brian va s'en sortir, tu verras.
Juste pour te dire que la sœur a
quitté les bureaux de la DGSI...
Elle est rentrée chez elle et elle
m'a contactée. Elle a dit qu'elle
avait besoin d'aide. Tu crois que
tu pourras vite venir ?

> *Salam* Léa. C'est grâce à toi. Tu as
> porté la chaîne humaine et tu as
> bien fait. On programme ça vite.
> À très bientôt *Inch Allah*.

Le message envoyé, Nadia sourit. Il y a toujours une petite bulle d'espoir et de force. Elle ferme les yeux tranquillement, sous la garde de Vivien et Stéphane. Demain il fera jour...